KAWADE
夢文庫

地震・洪水・噴火・疫病

天変地異が変えた人類史

リベラルアーツ研究班[編]

河出書房新社

天変地異は、歴史の転機となり時に人類を発展させてきた――まえがき

人類は誕生以来、さまざまな天変地異と向き合い続けてきた。地震、噴火、台風、洪水、疫病などが地球のあちこちで発生し、どこかで発生した自然災害が、遠く離れた地にも被害をもたらすこともあったし、時には地球規模の危機をもたらし、種の存続を危うくすることもあった。

そこまでいかなくても、何十万人、何百万人もの人が亡くなることもあれば、ひとつの文明や国家が亡(ほろ)びてしまうこともあった。

歴史上有名な事件や為政者の失脚、政権交代の裏に、意外な自然災害が関わっていることも少なくない。たとえば、18世紀のフランス革命の原因のひとつは火山の噴火である。日本の戦国時代も、地震が遠因となって始まったといわれる。

だが一方で、自然災害は甚大(じんだい)な被害をもたらすだけでなく、時には人類を発展させる大きな原動力ともなってきた。

たとえば、約7万5000年前の巨大噴火による寒冷化で、人類は一度滅びかけるが、これがきっかけとなって「服を着る」ということを発見したという。あるいは、定期的に起きるナイル川の洪水から、古代エジプトの人々は暦を発明し、治水に成功した。

そう考えると、現代に起こった痛ましい災害も、人類が前進するためのヒントにすることができるかもしれない。

2011年の東日本大震災による原発事故は、脱炭素化の流れのなかで、どうとらえればいいのか。あるいは、2020年から続くコロナ禍から、私たちはどんな教訓を得ることができるのか――。

過去の天変地異とその影響を知ることで、こうした問題をより大きな視野で見ることができるのではないだろうか。

本書で紹介する数々の自然災害は、現代の私たちの暮らしとどこかで結びついている――、そんな視点で読んでいただければ幸いです。

リベラルアーツ研究班

天変地異が変えた人類史／目次

第1部 文明のカタチを決定づけた世界の天変地異

人類が服を着るきっかけとなったトバ火山の大噴火　8
エジプト王朝を育み、衰退させたナイルの洪水　16
世界の神話や『聖書』に記録されたユーフラテス川の大洪水　24
夏王朝建国のきっかけとなった黄河の大洪水　30
クレタ文明を滅ぼしたサントリーニ火山の噴火　36
ローマ帝国の都市を消滅させたヴェスヴィオ山の噴火　42
中世暗黒時代を招いたクラカタウ火山の大噴火　47
アステカとインカ帝国を滅ぼした天然痘　55
「万有引力の法則」の発見に繋がったロンドンのペスト流行　63
大航海時代の覇者ポルトガルを凋落させたリスボン地震　69
フランス革命を引き起こしたラキ火山の噴火　75

アメリカ発展の礎を築いたジャガイモ疫病 83
クリミア戦争を大混乱に陥れたバラクラバ大暴風 89
第一次世界大戦の終結を早めたスペイン風邪 95
空の交通網を破壊したエイヤフィヤトラヨークトルの噴火 102

第2部 時代を大転換させた日本の天変地異史

九州を千年間、無人の地にした鬼界カルデラの大噴火 108
聖武天皇に平城京への帰還を決意させた天平地震 115
モンゴルの侵略軍を壊滅させた神風 123
北条貞時の専制政治を生んだ鎌倉大地震 133
戦国時代到来のきっかけとなった享徳地震と享徳の乱 137
豊臣政権にとどめを刺した慶長伏見地震 144
田沼意次を失脚させた浅間山の大噴火 153
佐賀藩を雄藩に押し上げる契機となったシーボルト台風 162
洋式造船技術をもたらした安政東南海地震 169

幕末の水戸藩迷走を招いた安政江戸地震　174
世界初の地震学会設立の呼び水となった横浜地震　180
大正デモクラシーを終焉に導いた関東大震災　185
富国強兵と軍国主義が蔓延させた結核　194
日本の防災対策の転機となった伊勢湾台風　203
世界の原発政策に影響を与えた東日本大震災　209

巻末資料〈天変地異年表〉　220

カバー画像●「The Last Day of Pompeii」Brullow, Karl／アフロ
地図版作成●新井トレス研究所
協力●バーネット（奈落一騎＋菊池昌彦）

第1部　文明のカタチを決定づけた世界の天変地異

人類が服を着るきっかけとなった
トバ火山の大噴火

時代：7万5000年前
場所：インドネシア・スマトラ島

過去200万年で最大規模の噴火は
人類の祖先の運命をいかに決定づけたか？

私たち現生人類であるホモ・サピエンスは、約20万〜25万年前に誕生したとされている。その誕生以来、人類は何度も破滅的な大噴火を体験してきたが、そのなかでももっとも規模が大きかったのが、約7万5000年前に発生したインドネシア・トバ火山の噴火だ。この噴火は、人類史上どころか、過去200万年間で最大のものであった。

ここでその規模を比較してみよう。20世紀最大の噴火は、1991年にフィリピンのピナツボ山で起きたものだ。その際、噴出したマグマの量は約5立方キロメートルだった。日本で起きた同程度の噴火としては、約6万年前に起き

トバ湖の位置と湖の形状

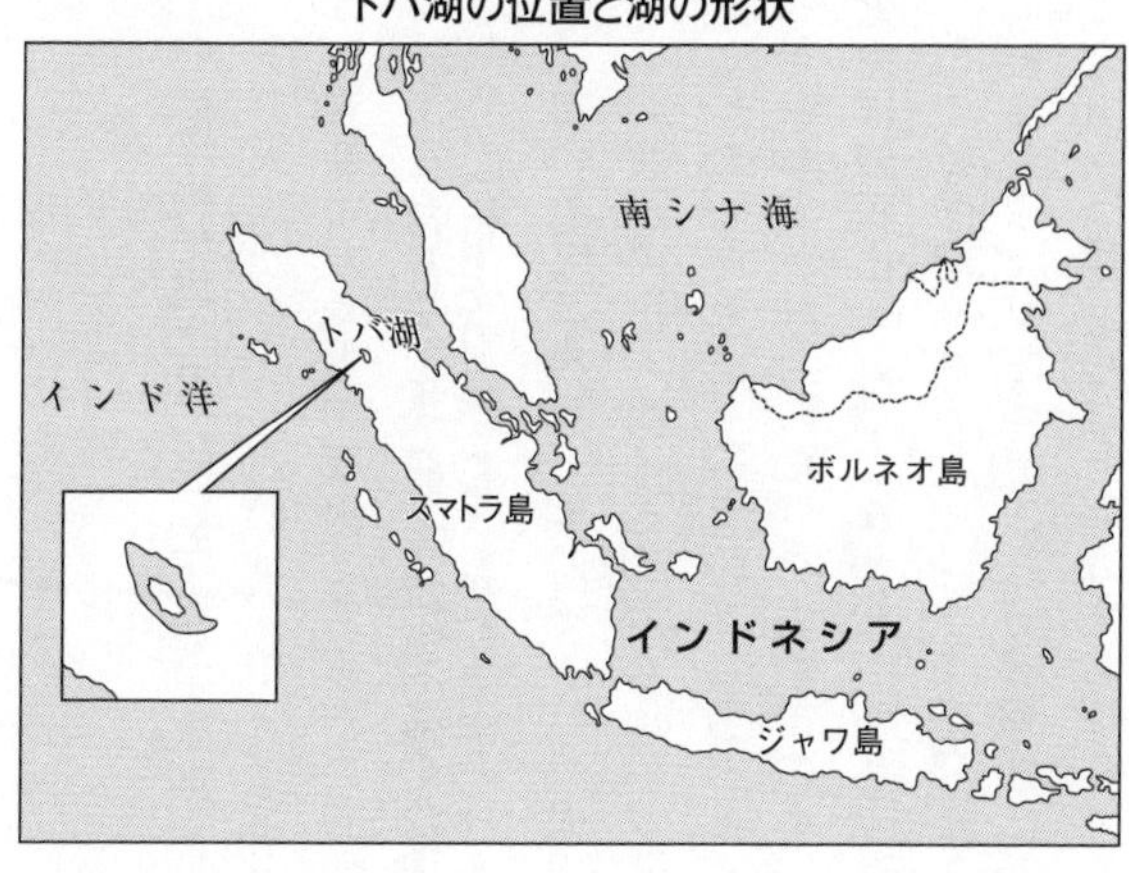

た箱根山の噴火がある。このときは、約50キロメートル離れた現在の横浜あたりまで火砕流が到達している。5立方キロメートルのマグマが噴出するだけで、これほどの影響が出るのだ。

ところが、トバ火山の大噴火はこの比ではない。なんと、約2800立方キロメートルというケタ違いの量のマグマが一気に噴出したと考えられているのだ。ピナツボ山や箱根山の噴火の560倍もの量である。これだけ見ても、トバ火山の噴火規模のすさまじさがわかるだろう。このような圧倒的な規模の大噴火を、学術的には「ウルトラプリニー式噴火」という。また、「スーパーボルケーノ」「破局噴火」と呼ばれることもある。

●地球の平均気温が5度下がり、氷期が訪れる

トバ火山が存在したのは、インドネシアのスマトラ島北部。現在、この地には世界最大のカルデラ湖であるトバ湖がある。琵琶湖(びわこ)の面積の1・6倍にもなる約1100平方キロメートルもの巨大カルデラ湖を形成したのは、3回の巨大噴火であった。

最初の噴火は約84万年前で、トバ火山南東部から約500立方キロメートルのマグマが噴出。次に約50万年前に、北西部で約60立方キロメートルの噴出が起こった。そして、約7万5000年前の大噴火によって、最終的に現在のトバ湖が形成されたのだ。この最後のトバ火山の噴火では、マグマだけではなく火山灰の噴出も大量となった。噴き上げられた火山灰は東南アジアから南アジアにかけて降り注ぎ、インドでは15センチメートル、中国南部でも数センチメートルの降灰(こうかい)があったことが確認されている。さらに、遠いグリーンランドまで火山灰は到達したとも考えられている。

また、巻き上げられた噴煙に含まれていた大量の硫黄が大気中で酸化し、硫酸エアロゾルとして成層圏を長期間漂うことになった。これにより、太陽の光が遮られ、世界中で「火山の冬」と呼ばれる寒冷化現象が発生。噴火後に地球全体の平均気温は5度ほども下がり、地域によっては最大15度以上低下したのである。この急激な寒冷化によって、万年雪の境界線は現在よりも3000メートルも下がり、氷河が形成されて海面も低下。日本列島も大陸と地続きになったという。そして、このことが以後約6万年間続く、現在のところ最後の氷期であるヴェルム氷期を促進させるきっかけとなったとされる。

当然ながら、このような激しい環境変化は、人類に大ダメージを与えた。それは、一度人類が絶滅しかけるほどの甚大な被害だったともいわれている。

●人類が1万人まで減り、遺伝子の多様性が失われる

トバ火山が噴火するまで、ホモ・サピエンスは地球上に数百万人生息し、繁栄していたと考えられている。しかし、トバ火山の噴火による環境の激変によって、噴火後にその個体数は1万人ほどまでに激減してしまった。この激減は

遺伝学的にも証明されている。現在、人類は約78億人いるが、その割には遺伝的多様性が少なすぎるのだ。つまり、みんな似たような遺伝子しかもっていない。これは、過去にいったん個体数が激減し、そのときに遺伝子の多様性が失われてしまったためだ。

遺伝子の解析によれば、現在の人類はすべて、1000〜1万組程度の少数の夫婦を祖先として進化したと推定されている。そして、そのように極端に人口が減った時期は、ちょうどトバ火山が噴火した約7万5000年前であることが判明しているのだ。

このように個体数が一度絶滅寸前まで激減し、再び繁殖(はんしょく)することで多様だった遺伝子が均質化することを「ボトルネック効果」という。首の細いビンから少数のものを取り出すと、元の割合から見ると特殊なものが得られる確率が高くなるという原理から命名されたものだ。私たち人類は、このボトルネックをくぐり抜けた個体たちの子孫なのである。

ところで、トバ火山が噴火するまで地球上には、私たちホモ・サピエンス以外にも、同じヒト属であるホモ・エレクトスとネアンデルタール人(ホモ・ネアンデルターレンシス）も生息し、私たちの祖先と共存していた。しかし、トバ火山が噴火した後、ホモ・エレクトスは絶滅してしまった。絶滅の原因は、環境の激変を乗り越えられなかったためと考えられている。

●火山噴火による寒冷化でヒトは衣服を着るようになった

トバ火山の大噴火がもたらしたものは、人口の激減だけではない。一説には、人類、およびネアンデルタール人が衣服を着るきっかけとなったのは、火山の噴火による寒冷化だともいわれている。

その根拠となっているのが、シラミである。ヒトに寄生するヒトジラミには、おもに毛髪に寄宿するアタマジラミと、おもに衣服に寄宿するコロモジラミの2種類がいる。遺伝子の研究によれば、この2種が分化したのは、およそ7万年前であるという。

ようするに、約7万年前ごろにヒトが衣服を着るようになり、新しい寄宿環境に適応してコロモジラミが分化したと推測できるのだ。このことから、トバ火山の噴火によって寒冷化した気候を生き抜くために、ヒトは衣服を着るようになったのではないかと考えられている。

ちなみに、ネアンデルタール人も衣服を着ていたことがわかっている。だが、ホモ・エレクトスが火を使い、高度な石器をつくり、日常生活と労働の場を区別するなど社会生活を営んでいたことは、遺跡の調査などからわかっているが、衣服を着ていたかは不明だ。もしかしたら、衣服を発明できたか否かの差が、トバ火山の大噴火の被害からホモ・サピエンスとネアンデルタール人は生き延び、ホモ・エレクトスが滅びてしまったポイントだったのかもしれない。

●ネアンデルタール人を滅ぼした、もうひとつの巨大噴火

ところで、約7万5000年前のトバ火山の噴火による地球規模の破滅的な被害を、ホモ・サピエンスとともに生き延びたネアンデルタール人だが、約4万年前に衰退が始まり、2万数千年前に絶滅してしまった。

そのネアンデルタール人が4万年前に衰退し始めた原因も、火山の噴火であるという説がある。

ちょうどそのころ、現在のイタリア・ナポリ近郊で過去20万年で最大規模と

される巨大噴火が起こった。ネアンデルタール人のほとんどはヨーロッパ大陸にいたため、この噴火の被害を直接受けることとなった。気候はさらに悪化し、食糧は不足。これにより、ネアンデルタール人の衰退が始まり、絶滅まで追い詰められたというのだ。一方、ホモ・サピエンスの多くはアフリカやアジアに住んでいたため、絶滅するほどの影響は免(まぬか)れたのだという。もし、噴火の場所が違っていたら、ホモ・サピエンスのほうが絶滅して、現在の地球上ではネアンデルタール人の子孫が繁栄していたかもしれない。

ただ、現生人類の核遺伝子には、絶滅したネアンデルタール人類特有の遺伝子が1~4パーセント混じっていることが研究の結果、明らかになっている。何万年にも及ぶ共生のあいだに、ホモ・サピエンスとネアンデルタール人は接触し、混血していたのである。つまり、私たちはネアンデルタール人の血を数パーセント受け継いでいるのだ。

そういう意味では、ネアンデルタール人は完全に絶滅したのではなく、いまも私たちとともに生きているといえるだろう。

エジプト王朝を育み衰退させたナイルの洪水

時代：紀元前4000年ごろ
地域：エジプト

洪水が、なくてはならない自然現象となった理由

暦には、大きく分けて、月の満ち欠けの周期を基にした太陰暦(たいいんれき)と、地球が太陽の周りを回る周期を基にしてつくられた太陽暦の2種類がある。太陽暦の1年が基本的に365日であるのに対し、太陰暦では約354日となる。このズレを解消するために太陰暦では約3年に1度、閏月(うるう)を加えて1年を13か月とすることで調整する方法が普及している。このような太陰暦を、とくに太陰太陽暦と呼ぶ。

現在の日本は太陽暦のひとつであるグレゴリオ暦を使用しているが、日本で太陽暦が導入されたのは1873(明治6)年のことで、それまでは長いこと

太陰暦を使っていた。西洋では比較的早く太陽暦が導入されていたが、紀元前の古代社会では、世界中で太陰暦のほうが一般的であった。月の満ち欠けは、目で見て簡単に判断できたためだろう。

そんななか、世界ではじめて太陽暦の原型となる暦をつくったのは、紀元前4000年ごろの古代エジプトだとされている。そのきっかけとなったのは、ナイル川の洪水だった。

●古代エジプト文明を発展させた「ナイル川の賜物」

エジプトは古代から不毛の砂漠地帯だったが、紀元前5000年ごろから人々が定住し、農耕を始めるようになったと考えられている。砂漠でも農耕が可能な理由は、毎年夏になるとエジプトを流れるナイル川が増水し、洪水を起こしたためだ。洪水が上流から運んでくる泥土は養分に富んでおり、ナイル川の両岸は次第に肥沃な土地となっていった。

この肥沃な土地はケメト（黒い大地）と呼ばれ、やがてはエジプトそのものを指す言葉となった。ケメトの幅はナイル川の川岸から数キロメートルで、け

ナイル川の農耕地

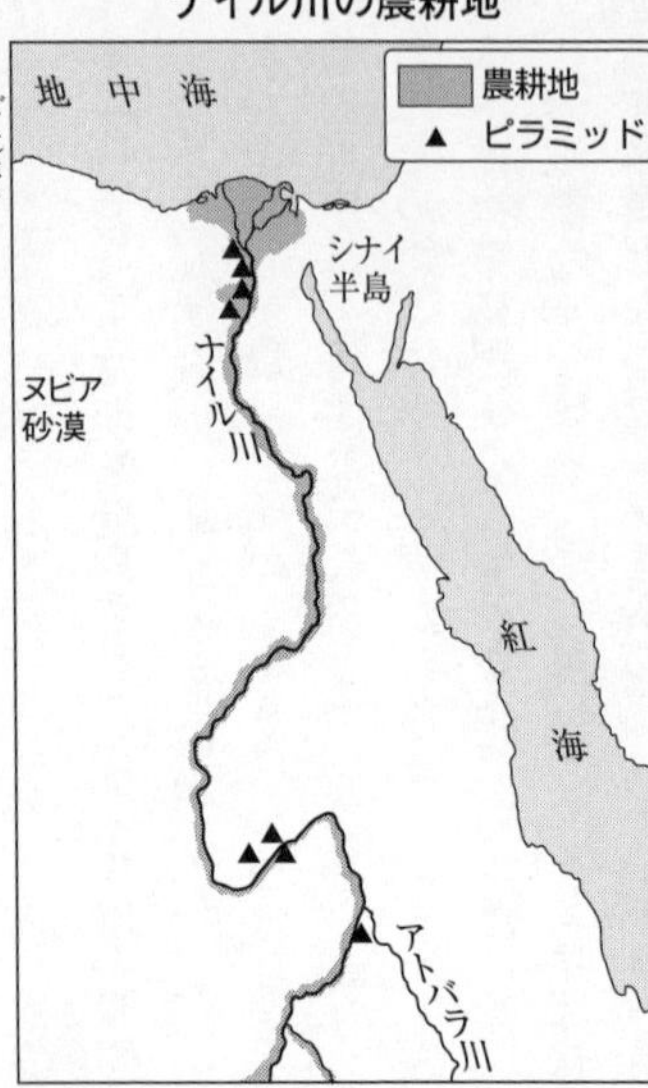

って広いものではなかった。しかし、この地域に住む住民は、船を使って、いきたい場所に手軽に移動することができたため、ナイル河畔の人々の往来が盛んになった。こうして人口は増え、文明が発展していき、古代エジプト王朝を誕生させる土壌をつくった。

このように古代エジプトの繁栄はナイル川あってのものだったため、紀元前5世紀のギリシャの歴史家ヘロドトスは著書『歴史』のなかで「エジプトはナイル川の賜物」と記している。そのナイル川は、ケニア、タンザニア、ウガンダに囲まれたアフリカ最大の湖であるヴィクトリア湖を源流とする白ナイルと、エチオピア高原のタナ湖を源流とする青ナイルが、スーダンのハルツーム付近で合流して、地中海まで流れている川だ。

毎年洪水が起こる原因は、夏になると南インド洋で発生した湿ったモンスーン（季節風）が青ナイルの上流にある標高2000メートル以上のエチオピア高原にぶつかり、長期間雨を降らせるためである。これにより河川は増水し、下流のエジプトで洪水を引き起こすのだ。

ナイル川の洪水は、鉄砲水のような急激な水位上昇はなく、穏やかに増水し、川岸の土地を浸水させるというものであった。つまり、人に甚大な被害をもたらす恐ろしいものではなく、恵みだけをもたらすものだったのである。まさに、「エジプトはナイル川の賜物」といえる。

●シリウスの出現によって洪水の起こる時期を知る

土地を肥沃にしてくれるナイル川の恵みの洪水だったが、川岸が浸水する時期に農作業はできない。たとえば、種をまいた直後に洪水が起こっては、すべて無駄になってしまう。そのため、古代エジプト人にとっては、いつナイル川が洪水を起こすかを知ることが最大の関心事であり、生活上必須のことであった。そこから暦の必要性が生まれたのである。

やがて古代エジプト人は、毎年夏に洪水が始まるころになると、明け方の東の空に明るく輝く星である恒星シリウス（おおいぬ座α星）が出現することを発見した。そこから、シリウスが日の出の直前に東天に昇って洪水が起こってから、次の年に再びシリウスが出現して洪水が起こるまでの日数を数え上げ、1年が約365日であることを知った。これが、エジプトにおける太陽暦の始まりとされている。

もっとも、厳密にいえばこの暦は太陽の周期ではなく、シリウスと洪水の周期に基づいたものなので、「シリウス・ナイル暦」とも呼ばれている。また、シリウスは古代エジプトで豊穣（ほうじょう）の女神ソティス（ソプデト）と同一視されていたため、「ソティス暦」ともいう。

ともあれ、こうして洪水の起こる時期を正確に知ることができた古代エジプト人は、シリウスが出現する日を「元日」とし、現在の7月を1月とした。そのうえで「シリウス・ナイル暦」では1年を、1～4月の「アケト（洪水期）」、5～8月の「ペレト（播種（はしゅ）期）」、9～12月の「シェムウ（収穫期）」の3季に分けた。そして、洪水が引いた5月（現在の10月）になると種をまいたのである。

ちなみに、紀元前46年にローマのユリウス・カエサルはエジプトを征服すると、暦学者ソシゲネスに命じて「シリウス・ナイル暦」を改良させた暦を古代ローマに導入した。これをユリウス暦といい、厳密な意味での太陽暦の始まりである。このユリウス暦を１５８２年にローマ教皇グレゴリオ13世が改良したのが、現在私たちも使っているグレゴリオ暦だ。そういう意味で、「シリウス・ナイル暦」は太陽の周期に基づいた暦でなかったにしろ、これが太陽暦の原型となったのは間違いなく事実といえよう。

●測量と幾何学も発達

ところで、ナイル川の洪水が生み出したものは暦だけではない。測量技術と幾何学（きかがく）も、洪水によって古代エジプトで誕生したものだ。恵みをもたらす洪水ではあったが、土地が浸水したあと、農地の区画が滅茶苦茶（めちゃくちゃ）になり、どこが誰の土地であるかわからなくなるという問題が避けられなかった。

そこで、洪水終息（しゅうそく）後に農地を元通りに区分するため、測量技術と幾何学が発達したのである。

古代エジプト人は、紀元前3000年ごろには、直角三角形をなす3辺のうち、2辺の長さがわかれば残り1辺の長さも割り出せる「ピタゴラスの定理（三平方の定理）」を発見していたとされる。また紀元前2500年ごろには、水準測定器、垂直確定器、定規といった測量に必要な機器がすでに使われていたと考えられている。

これらの高度な測量技術と幾何学に基づいて、ピラミッドの建築もおこなわれた。そのため、ピラミッドは完全な水平が保たれ、驚くべきことに、東西南北の誤差は1センチメートル以内に収まっている。そして、この古代エジプトの測量技術と幾何学が古代ギリシャに伝わり、現代の数学にまで繋（つな）がっているのである。

●洪水が「起こらなかった」から衰退した王朝

いかに古代エジプト文明がナイル川の洪水に頼っていたかということは、紀元前2200年ごろの様子に顕著（けんちょ）に表われている。この時期、強いエルニーニョ現象が何年も続いたためにモンスーンが弱くなり、エチオピア高原の降水量が減って、青ナイルの水源であるタナ湖の水位が極端に下がっていたことが、湖底堆積物の分析から判明している。その結果、下流のエジプトでは毎年起こっていたナイル川の洪水がなくなってしまった。

洪水がなければ、土地は年々やせていく。その結果、深刻な飢饉が発生した。これが原因でエジプト第6王朝は崩壊し、長期間にわたって安定した統治を続けていた古王国時代は終焉した。続いて興った第7王朝では、「70人の王が70日間統治した」といわれるほどの惨状となった。ようするに、日替わりで王が交代するほどの混乱期だったのである。また、この混乱によって納税が停滞し、略奪が相次ぐなど社会も荒廃した。

混乱は第10王朝まで続いたが、紀元前2040年ごろに第11王朝のメンチュヘテプ2世がエジプト再統一を果たしたことで、ようやく終息した。洪水は通常恐ろしい被害をもたらすが、古代エジプトでは洪水が起こらなかったことで、100年以上にもわたる悲惨な混乱期を迎えてしまったのだ。

世界の神話や『聖書』に記録された ユーフラテス川の大洪水

時代：紀元前2900年ごろ
地域：メソポタミア

人々に「この世の終わり」と思わせた大洪水は、いつ、どこで起こったのか？

「人類は一度大洪水によって滅亡したが、ごく一部の人間だけが洪水を生き延び、それが新たな人類の祖先となった」。こうした内容の神話が世界各地に残されている。もっとも有名なのは、ユダヤ教・キリスト教の聖典である『旧約聖書』に記された「ノアの方舟（はこぶね）」の逸話（いつわ）だろう。それは、次のような話だ。

あるとき、神は地上で繁栄している人間たちが堕落（だらく）しているのを見て、これをすべて洪水によって滅ぼすことを決意した。しかし、ノアという男だけは信心深く、正しい生き方をしていたので、神は彼に洪水に備えて巨大な方舟をつくるよう命じる。はたしてノアが、妻と3人の息子とそれぞれの妻、そしてあらゆる種類の動物のつがい一組を方舟に乗せると大洪水が起こり、大雨が40日40夜続いて、地上のあらゆる生物は溺れ死んでしまった。150日後にようやく水が引き始め、方舟はアララト山の上に漂着。そこで、ノアの子どもたちは新しい人類の祖となった。

●ギリシャとインドにも伝わる大洪水神話

この「ノアの方舟」とよく似た神話が、紀元前15世紀ごろに成立したギリシャ神話にもある。それは「デウカリオンの洪水」と呼ばれるものだ。

主神ゼウスが洪水によって人間を滅ぼそうとするが、神であるプロメテウスの息子デウカリオンと、その妻だけは方舟をつくって助かる。その後、水が引くと方舟は山頂に漂着。そこで、デウカリオンが石を投げると人間の男になり、妻が石を投げると人間の女になった。こうして、再び地上には人間があふれるようになったという。

また、紀元前9世紀ごろに成立したインド神話にもそっくりな話が存在する。それによると、マヌという男が魚に助けられて大きな船をつくり、大洪水を生き延びてヒマラヤ山頂にたどり着き、それが人類の始祖となったという。

このような各地に伝わる大洪水神話は、実際に人類が歴史上遭遇した大洪水の記憶が基になっているのではないかという説がある。それが、いつ、どこで起こった大洪水のことなのかについては諸説あるが、有力視されているのは、紀元前2900年ごろにメソポタミアのユーフラテス川で起こった大洪水が基となっているという説だ。

現在のイラクの一部にあたるメソポタミア地方には、西のユーフラテス川と東のティグリス川というふたつの大河が流れており、その両河川によって堆積（たいせき）した肥沃（ひよく）な土壌が広がっている。そんなメソポタミアの地では、紀元前1万年ごろから農耕が始まり、紀元前3500年ごろに世界最古の文明のひとつとされる古代メソポタミア文明がシュメール人の手によって誕生した。

そのシュメール人が最初に王朝を開いた紀元前2900年ごろ、ユーフラテス川が大洪水を起こし、広範囲に甚大な被害をもたらしたことが発掘調査によって明らかになっている。このことは、当時の王朝の記録である「シュメール王名表」にも記載がある。そして、シュメールの神話には、神が洪水によって人類を滅亡させようとしたが、ひとりの男が巨大な船をつくって助かったという物語が残されている。これが、大洪水神話のもっとも古い原型であり、ユーフラテス川の大洪水の経験が神話となって伝えられたものだと考えられるのだ。

やがて、シュメールの大洪水神話は、時代を経て西に伝播（でんぱ）してギリシャ神話の「デウカリオンの洪水」となり、東に伝播してインド神話のマヌの物語になったとも考えられる。「ノアの方舟」の物語が成立したのは、紀元前6世紀ごろだ。ちょうどそのころユダヤ民族は、メソポタミアを支配していた新バビロニアに国を滅ぼされ、民族全体が捕虜となっていた。その虜囚（りょしゅう）生活のなかで大洪水神話を聞き知り、ユダヤ教の神話に取り入れて、それがのちに『旧約聖書』に収録されたと推測できる。

●「黒海洪水説」と地球規模の水没

ただ、大洪水神話の起源は、紀元前2900年ごろのユーフラテス川の大洪水ではないとする説もある。それによると、紀元前5600年ごろに、それまで淡水湖（たんすいこ）であった黒海が地中海と連結し、急速に海水で満たされたことでボスボラス海峡を中心に大洪水が起こり、それが神話の基になったという。黒海が地中海と繋がったのは、紀元前約1万年前に最終氷期が終わり、氷河が溶けて海水面が上昇したためだ。

これは「黒海洪水説」と呼ばれるものだが、実際に洪水があったかどうかは議論が続いており、現段階では仮説にすぎない。ただ、地質学の調査などによると、洪水があった可能性は高いという。

また、そのころ黒海周辺には、先インド・ヨーロッパ人と呼ばれる人たちが暮らしていたが、この洪水によって彼らがヨーロッパとアジアに拡散したともいわれている。もしこれが事実なら、黒海大洪水の記憶が神話となり、西はギリシャへ、東はインドへと伝わったと考えることもできる。

さらに、黒海は現在のトルコに面しており、トルコは現在のイラクと接している。イラクの地で栄えた古代メソポタミア文明にも大洪水神話が伝わり、シュメール神話に取り入れられたとも考えられるのだ。

ちなみに、最終氷期が終わったことによる海水面の上昇は、黒海に洪水を起こしただけでなく、世界中に水害を起こしたという説もある。たしかに、氷期

2つの大洪水説の舞台

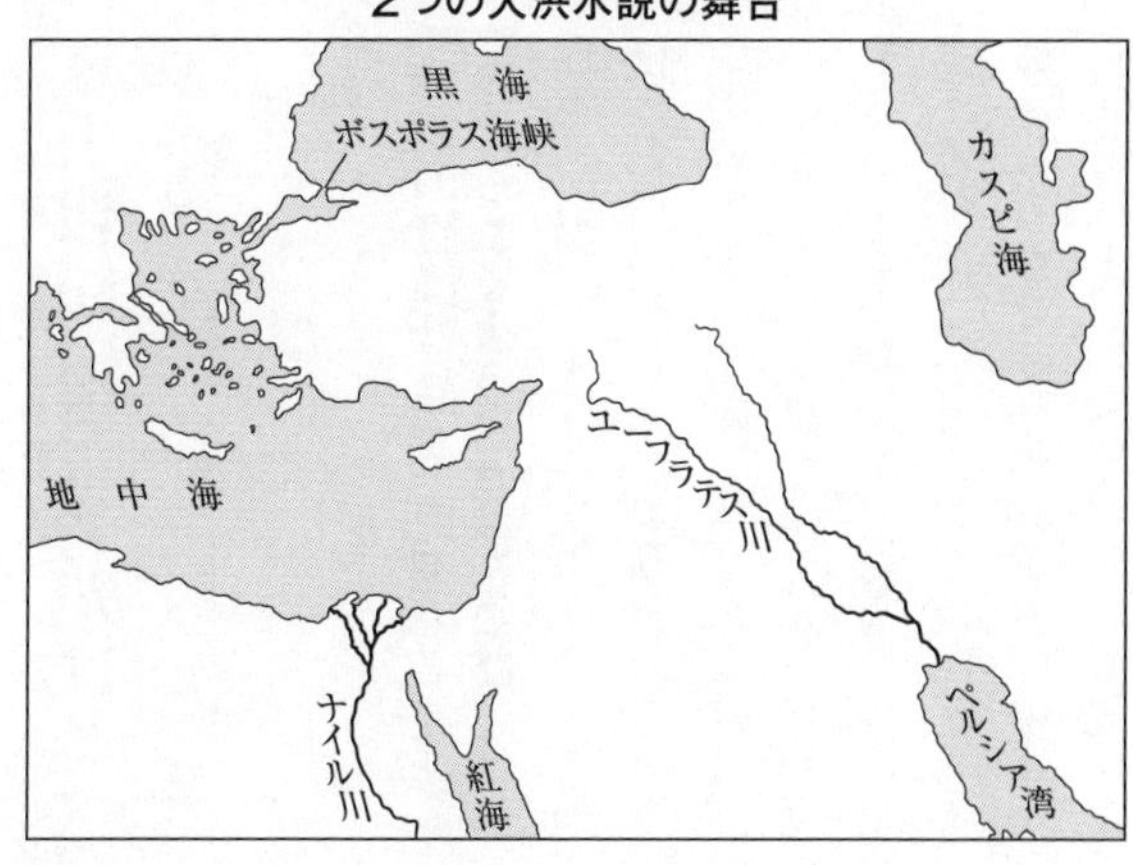

の終了後に地球全体で海水準が100メートル以上も上昇しており、これによって当時の沖積平野の大部分が海面下に水没。これが、現在の大陸棚となっている。このときの地球規模の大変動の記憶が大洪水神話の基となったとすれば、世界各地に似たような神話が残されているのもうなずける。

ともあれ、紀元前約1万年から紀元前数千年ぐらいのあいだに、世界のどこかで、あるいは世界中で、当時の人々にとっては、この世の終わりとも思えるような大洪水があった可能性はかなり高い。それが大洪水神話として、いまも伝わっているのだろう。

夏王朝建国のきっかけとなった黄河の大洪水

時代：紀元前1900年ごろ
地域：中国

伝説の建国神話が、史実と考えられるようになった痕跡とは

近年、中国で4000年前に起こった大洪水の痕跡が、伝説とされた王朝の存在を史実に押し上げようとしている。いったい、どういうことだろうか。

中国の史書『史記』などによれば、中国で最初にできた王朝は夏王朝だとされている。成立したのは紀元前19世紀ごろともいわれているが、その実在性を示す考古学上の発見が一切なかったため、夏は史実ではなく伝説上の王朝という考え方が長らく一般的だった。

しかし、1959年に黄河の中流から下流にあたる河南省洛陽市の二里頭村で紀元前18～前15世紀ごろの大規模な都市・宮殿遺跡が発見されて以降、この

二里頭遺跡こそが夏王朝のものであり、夏王朝は実在したという意見が強まった。ただし、この遺跡が本当に夏王朝のものなのかについては、いまも議論が続いており、完全に決着がついたわけではない。

『史記』に記されている中国の神話では、はじめ伏羲という神が中国を治め、続いて女媧、神農という神が治めたとなっている。それから、黄帝、顓頊、嚳、堯、舜という伝説的な聖人君主が順番に中国を治めた。この最初の3柱の神を三皇、続く5人の聖人を五帝といい、合わせて三皇五帝という（三皇五帝の神名は諸説ある）。ここまでは史実ではなく、神話・伝説というのが定説だ。

二里頭遺跡と黄河

夏王朝を開き、最初の帝となった禹は五帝のひとりである顓頊の孫で、舜から帝位を禅譲されたと伝えられている。禅譲に至る経緯は次のようなものだ。

舜の時代、共工という人面蛇身の水の神が

舜を攻め、黄河に大洪水を起こして中国全土を水浸しにしてしまった。舜は洪水を治めるために、はじめ禹の父である鯀(こん)に治水工事を命じた。鯀は堤防をつくって洪水を治めようとしたが、9年経っても効果が出ず、それどころかさらに被害が広がる一方だった。そこで舜は鯀を罷免(ひめん)し、代わりに禹を登用した。

禹は父とは違い、放水路をつくって排水をおこなう方法を用い、黄河の治水に成功した。この功績により、禹は舜から帝位を譲られ、夏王朝を開いた。その後、禹は中国各地で治水工事をおこない、周辺の土地を耕し、また税を免除し、地方に都市をつくり、行政制度を整えたことで、夏王朝は発展。やがて、海外から朝貢の申し出がくるほど繁栄したと伝えられている。

●地震によって黄河上流にできた巨大天然ダムが決壊

夏王朝が実在したかどうかは別にして、禹が黄河の大洪水を治めたことで帝位を譲られて王朝を開いたというエピソードは、伝説にすぎないと長年考えられていた。ところが、2016年にアメリカの科学誌『サイエンス』に、紀元前1900年ごろ、実際に黄河で大洪水があった可能性が高いことが地質学調査や遺跡の発掘調査などから明らかになったという論文が掲載された。

その論文によれば、紀元前1900年ごろに中国奥地で巨大な地震が発生し、それによって黄河上流で地滑りが起こり、大量の岩や土砂が積石峡という黄河の峡谷のひとつに流れ込んだという。崩れ落ちた土砂は、幅800メートル、奥行き1300メートル、高さ200メートルもの巨大な天然のダムを形成。これによって、数か月にわたって黄河の流れはせき止められ、そこに大量の水が溜まった。やがてダムが決壊すると、溜まっていた大量の水は数時間のうちにすべて放出され、一気に流れを下って周辺の地域に押し寄せ、大洪水を引き起こした。洪水は最大で黄河の水面より40メートル近い高さまで到達。その結果、周辺地域は水没し、数百キロメートル離れた低地でも黄河の川筋が変わり、土地が湿った状態が何年も続いたと考えられる。

この論考の証明として、『サイエンス』誌に論文を発表した研究チームは、現地調査とグーグルアースの写真から、天然ダムができたと考えられる積石峡に湖の跡に残るような黄色がかった堆積物(たいせきぶつ)があることを確認。これは、過去のある時点でこの川がせき止められていたことを示している。

さらに、積石峡から25キロほど下流に、喇家遺跡という新石器時代の遺跡があり、この遺跡には地震で破壊された痕跡があるが、そこから出た人骨を放射性炭素により年代測定したところ、紀元前1900年ごろのものと判明した。ちなみに、喇家遺跡は黄河の水が流入して起こった水害によって集落が一瞬で水没し、多くの文化財や建物が泥によって密封された状態となっていたため「東方のポンペイ」とも呼ばれている（ポンペイについては42ページ参照）。そして、研究チームが喇家遺跡にこびりついていた周辺の土砂とは違う特徴的な黒い砂を分析したところ、それが積石峡のあたりから流れてきたものであることも判明した。

つまり、これらの証拠を合わせると、紀元前1900年ごろに地震があり、それによって黄河が大洪水を起こし、下流に甚大な被害をもたらしたことが、ほぼ証明されたのである。ということは、ちょうど夏王朝が開かれたとされている時代に、黄河が大洪水を起こしたのは事実ということになり、禹の伝説もそれに基づいていると考えられるのだ。実在の人物とはされていない舜から禹が帝位を譲られたことは史実でないにしろ、禹が、黄河の大洪水の被害を放水路をつくるという当時最新の治水技術によって解決し、人々の信頼を得て王朝を開いたという流れは十分あり得る。

●夏王朝のもっとも古い文献記録は紀元前7世紀

もっとも、紀元前1900年ごろに黄河が大洪水を起こしたことが事実であったとしても、それがそのまま禹の伝説や夏王朝の実在を証明するわけではない。大洪水の記憶を基に、後世の人が禹による夏王朝創始の伝説をつくり上げたとも考えられるからだ。

実際、禹や夏王朝について触れているもっとも古い文献は、『書経（しょきょう）』という歴史書だが、これはどんなに早く見積もっても紀元前7世紀ごろに成立したと考えられている。黄河が大洪水を起こし、夏王朝が成立したとされる時代よりも1000年以上も後のものなのだ。

二里頭遺跡も、そこに当時、何らかの勢力があったことは示しているが、それが夏王朝であるという証明にはならない。

やはり夏王朝の実在については、まだしばらくは議論が続きそうだ。

クレタ文明を滅ぼした サントリーニ火山の噴火

時代：紀元前1628年ごろ
地域：ギリシャ・サントリーニ島

アトランティス伝説を生み地球の裏側の王朝を滅ぼした噴火とは

紀元前2000年ごろ、エーゲ海ではヨーロッパ最古の文明のひとつともいわれるクレタ文明が栄えていた。クレタ文明という名は、ギリシャ本土から約160キロメートル南に離れたエーゲ海南端に位置するクレタ島が、この文明の中心地だったためだ。ギリシャ神話では、クレタ島のミノス王が巨大な宮殿を築き、エーゲ海を支配していたと伝えられている。そのため、この文明はミノス王の名を取ってミノア文明とも呼ばれている。

ミノス王が実在の人物であるかは不明だが、クレタ島からは、巨大なクノッソス宮殿の遺跡が見つかっている。その広さは約2万3000平方メートルもあり、部屋数は1200個以上。一部は4階建てになっていたと推察されている。さらに宮殿には、排水設備や浴場、水洗式のトイレなども設置されていた。いかに当時のクレタ文明が高い技術を擁し、繁栄していたかがわかるだろう。

だが、そんなクレタ文明は、紀元前15世紀半ばに突如滅びてしまった。その原因のひとつともいわれているのが、紀元前1628年ごろに起きたサントリーニ島の大噴火である。

●巨大な津波に襲われたクレタ文明

サントリーニ島は、クレタ島から北に約100キロメートルの位置にある島だ。現在は三日月形の本島と、4つの小さな群島が中央の海を囲むような形状をしているが、かつてはひとつの大きな島だったことがわかっている。それが、紀元前1628年ごろに海底火山の噴火で島の中央部が吹き飛び、このような形になってしまったのだ。

噴火の正確な規模はわかっていないが、南極やグリーンランドから、サントリーニ島の噴火の噴出物が発見されているため、噴煙の高さが上空36～38キロ

クレタ文明とサントリーニ島

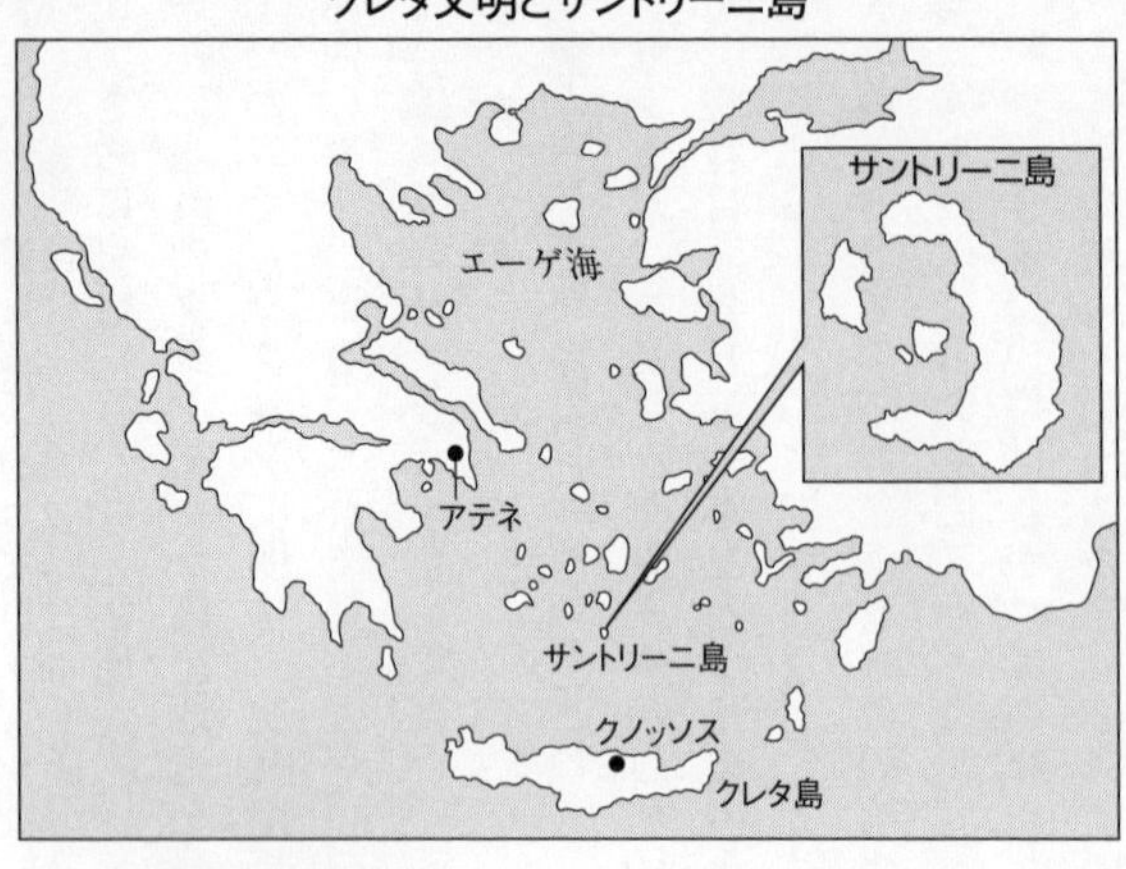

メートルに達するほどの巨大な噴火だったと考えられている。また『旧約聖書』の「出エジプト記」には、「エジプト全土が3日間の闇に包まれた」という記述があるが、これはサントリーニ島の噴火を指しているという説もある。

　サントリーニ島はクレタ文明圏のなかにあったが、このときの噴火で同島の文明がすべて壊滅してしまったことが、遺跡の調査などから判明している。噴火によって高さ30メートルとも90メートルともいわれる大津波が発生。半径160キロメートル以内の島や陸地に甚大な被害をもたらし、これにより周囲の多くの島が水没してしまったともいう。

　サントリーニ島から約１００キロメートルの距離にあるクレタ島も、当然津波による大きな被害を受けたと考えられている。そのため、ひと昔前までは津波によってクレタ島が水没し、文明が1日で滅びたという説が有力視されていた。しかし近年では、クレタ文明がサントリーニ島の噴火と津波によって、すぐに滅びたわけではないという説が主流になっている。

　ただ、噴火のしばらく後にエーゲ海の覇者が、クレタ文明からギリシャ本土のペロポネソス半島を中心に栄えたミケーネ文明に交代してしまったことは歴史的事実だ。噴火と巨大な津波が、クレタ文明に多大なダメージを与え、それが崩壊の引き金となったことは間違いないだろう。

●「幻のアトランティス大陸」の伝説を生み出す

　サントリーニ島の噴火と大津波、そしてクレタ文明の崩壊は、当時の人々に強烈な印象を残し、後世まで語り継がれることとなった。それが、のちに「幻のアトランティス大陸」の伝説を生み出したともいわれている。

アトランティス大陸は、紀元前5～前4世紀の古代ギリシャの哲学者プラトンが、その著書『ティマイオス』と『クリティアス』に記している古代文明のこと。それによれば、かつて大西洋上にアトランティスと呼ばれる大陸ほど大きな島があり、そこでは島と同じ名前の王国が栄華を極めていた。

海神ポセイドンの末裔（まつえい）とされる王が治めるアトランティス王国は強い軍事力をもち、大西洋から地中海にかけての広大な領土を支配していた。だが、しだいに王国の住人たちは堕落した生活を送るようになり、それに怒ったゼウスが大陸ごと海に沈めてしまい、王国は、一昼夜のうちに滅んでしまったという。

ちなみに、プラトンは著書のなかで、アトランティスの王宮では牛を使った祭事がおこなわれていたと記している。一方、クレタ島のクノッソス宮殿の遺跡からは、「牛飛び」と呼ばれる宗教儀式を描いたフレスコ画が発見されている。

また、ギリシャ神話におけるクレタ島の支配者ミノス王は、牡牛（おうし）に変身したゼウスと人間の女性のあいだに生まれた子であり、のちにミノス王の妃は牡牛と不義の交わりをして牛頭人身の怪物ミノタウロスを産んでいる。

このように、クレタ文明は非常に牛と縁が深い。プラトンがどこかで失われたクレタ文明のことを知り、アトランティス大陸の伝説として記した可能性はかなり高いといえるだろう。

●中国最古の王朝「夏」の滅亡の遠因となる

サントリーニ島の噴火は、遠く離れた中国の夏王朝を滅ぼす遠因となったともいわれている。前述の伝説的な中国最古の夏王朝は、紀元前１６００年ごろに滅んでしまったとされる。滅亡の直接の原因は殷による攻撃だが、王朝末期には異常気象が続き、国力が衰退していたという。

中国の史書『史記』には、夏王朝の末期に「７月に霜が降りて、五穀が枯れ、飢饉が到来した」という記述がある。つまり、冷夏となり農作物が不作で、飢饉が発生したということだ。ちょうどこのころは、サントリーニ島の噴火で巻き上げられた噴煙により太陽光が遮られ、北半球全体の気温が低下していた時期と重なっている。エーゲ海の海底火山の噴火は、クレタ文明と夏王朝というふたつの古代文明を滅ぼしてしまったのかもしれない。

ローマ帝国の都市を消滅させたヴェスヴィオ山の噴火

時代：79年
地域：イタリア・ナポリ近郊

噴火はいかにして、2000年前の古代都市を〝保存〟したのか

ヴェスヴィオ山はナポリから東へ約9キロメートルの位置にある火山で、歴史上たびたび噴火を起こしてきた。比較的近年では、1906年にも噴火。これが原因で、1908年のオリンピックは当初の開催予定都市であったローマからロンドンへと変更されている。

だが、もっとも有名なのは、ローマ帝国時代の79年の噴火だろう。この噴火では、まず昼ごろに噴火が起こり、噴出した火山灰は、周囲の地域に終日降り注いだ。そして翌日、火口から大量の火砕流（かさいりゅう）が発生。火砕流は時速100キロメートル以上の速度で、麓（ふもと）にあった都市ポンペイに襲いかかったと推定されて

ポンペイ遺跡とヴェスヴィオ山

いる。これにより、ポンペイに残っていた数千人の住人は一瞬で全員が生き埋めとなり、都市も火山灰に埋まってしまったのである。

以後、人が集まり住む都市としてのポンペイは完全に消滅し、発掘されたのは18世紀に入ってからのことだ。掘り起こされたポンペイの遺跡は、ローマ帝国時代の人々の暮らしぶりと噴火による悲惨な情景を、そのまま封じ込めたタイムカプセルのようなものであった。

たとえば火山灰の下からは、竈（かまど）のなかの焼いたままのパンや、テーブルに並べられたままの食事と食器などが見つかった。それらを片づける間もなく、都市は火砕流に呑み込まれてしまったということだ。

遺跡には、噴火によって亡くなった人たちの姿も生々しく残されていた。遺体や骨は腐ってなくなってしまっていたが、火山灰のなかに遺体の形の空洞ができていたのだ。そこに石膏を流したところ、母親が子どもに覆いかぶさって、襲いくる火砕流から我が子だけでも守ろうとした様子などが克明に浮かび上がったのである。

●上下水道が整備されていたローマ帝国の都市

ポンペイの遺跡から発見された数多くの壁画が豊かな色彩をそのまま保っていたことも、考古学者たちを驚かせた。壁画が1700年以上の時を経ても色彩を失わなかった理由は、火山灰を主体とする火砕流堆積に乾燥剤の役割となる成分が含まれており、湿気を吸収したためである。

その火山灰が都市を完全に覆い尽くしたことにより、壁画の劣化が進むことはなく、良好な状態で保たれたのである。

都市の機構や建物の備品なども、遺跡からはそのままの形で見つかった。ポンペイには整備された上下水道があり、水の量を調節する仕組みは、今日のものとさほど違わないことが判明。また、2人掛けのトイレが見つかったことから、当時トイレが社交の場になっていたと推察されている。

さらに、トイレは主人と奴隷が共同で使用していたことや、骨や排泄物の調査から、身分によって食べ物の格差もなかったことなどの意外な事実が明らかになっている。

●世界で最初の火山学者が誕生する

ところで、このヴェスヴィオ山の噴火によって、ローマ帝国の軍人・政治家で博物学者でもあったガイウス・プリニウス・セクンドゥス（大プリニウス）が命を落としている。

噴火発生時、プリニウスはナポリ近郊の港町ミセヌムでローマ西部艦隊の司令長官の任についていた。

そして、住人の救出活動と火山現象をくわしく調査したいという博物学者としての熱意からポンペイに急行。現地で綿密な調査を始めたが、その最中に火山灰や火山ガスに巻き込まれたことで呼吸困難に陥り、亡くなってしまった。彼こそが、世界で最初の火山学者といえるだろう。

その功績により、プリニウスの名は後世、プリニー式噴火やウルトラプリニー式噴火といった噴火の規模を示す火山学の学術用語につけられることとなった。プリニーとは、プリニウスのことなのである。

中世暗黒時代を招いたクラカタウ火山の大噴火

時代：535年
地域：インドネシア

ペストの流行とイスラム勢力の躍進を導いた噴火とは

「暗黒時代」とは、ヨーロッパの中世に対する通称である。広大な版図を誇り、政治的にも文化的にもヨーロッパ文明の中心だったローマ帝国が395年に東西に分裂。それから100年も経たない476年に、西ローマ帝国は滅亡してしまった。これが、いわゆる中世暗黒時代の始まりとされている。

一方、その中世が終わり、近世が始まるのは14〜15世紀のルネサンスによるとする見方が一般的だ。つまり、ヨーロッパの中世暗黒時代は1000年ほども続いたのである。

「暗黒」と呼ばれるのは、この時代、ローマ帝国の崩壊によって政治的混乱が起こり、ゲルマン人など異民族がヨーロッパに侵入し、文化や学問の発展も滞ったためだ。また、ローマ帝国に入れ替わるように、イスラムの勃興もあった。

とはいえ、ヨーロッパの中世においても、比較的安定していた平和な時期もあったし、文化や学問の発展がまったくなかったわけではない。それでも「暗黒」と呼ばれてしまうのは、それ以前の古代ギリシャからローマ帝国にかけての繁栄がヨーロッパの人々にとって輝かしいものであり、また中世をはさんでルネサンス以降のヨーロッパの発展が目覚ましいものであったためだろう。

ヨーロッパにおける、そのような暗黒時代の到来を決定づけたのは、6世紀の異常気象だともいわれている。そして、その異常気象を起こしたのは巨大な火山の噴火であった。

●ユスティニアヌス1世が抱いたローマ帝国再建の夢

西ローマ帝国が滅亡した後も、東ローマ帝国は残った。この東ローマ帝国は首都をコンスタンティノープル（現在のトルコの都市イスタンブール）に置いたため、同都市の旧名ビザンツ（ビザンティン）から、ビザンツ（ビザンティン）

帝国とも呼ばれる。

ビザンツ帝国は残ったどころか、５２７年にユスティニアヌス１世が即位すると、かつての強大だったローマ帝国を再興するかと思わせるほどの繁栄を見せた。名将といわれた将軍ベリサリウスの活躍によって、ゲルマン人に占領されていた旧西ローマ帝国領土であるイタリア半島や北アフリカ、イベリア半島の一部を征服。さらにローマも奪還した。またユスティニアヌス１世は、煩雑（はんざつ）だったローマ帝国の法律を統合して『ローマ法大全』を編纂（へんさん）させ、火事によって焼失していたハギア・ソフィア大聖堂を再建している。

ユスティニアヌス１世は、政治的、軍事的にも、文化的にも古代ローマ帝国の復活を夢見ていた。そして、その実現も不可能ではないと思われた。もし、そのままユスティニアヌス１世の夢が実現していたら、ヨーロッパに中世暗黒時代は訪れなかったかもしれないし、あるいは始まりがもっと遅くなったり、期間が短かった可能性もある。

ところが、ハギア・ソフィア大聖堂が完成し、盛大な献堂式が催された前年の５３６年ごろから、不吉なできごとの前触れのようなことが起こり始めていた。日照時間が短くなり気温が低下する異常気象が、ユーラシア大陸の各地で確認されるようになったのだ。

先に名前を挙げた将軍ベリサリウスの秘書官だったプロコピウスという人物は、536年の冬について「その後の1年間、太陽は輝きを失い、月のように弱々しかった。そして太陽ははっきりと見えず、日蝕(にっしょく)のようだった。それ以来、誰もが戦争、疫病によって死んでいった」と書き記している。あるいは、トルコ西部の都市エフェソスの教会史には、「太陽が暗くなり、その暗さは1年半も続いた。太陽は毎日、4時間くらいしか照らなかった」と記録されている。

●樹木の年輪に残された異常気象の痕跡

異常気象が536年から数年間続いたことは、古い樹木の年輪からも確認されている。樹木の年輪は、平年より寒かったり、日照時間が短いと成長が阻害され、幅が狭くなるため、そこから昔の気候を推定することができるのだ。スカンジナビア半島のフユナラの年輪を調べたところ、過去1500年間で一番狭くなっているのは540年から541年にかけてで、2番目に狭いのは53

コンスタンティノープルとクラカタウ火山

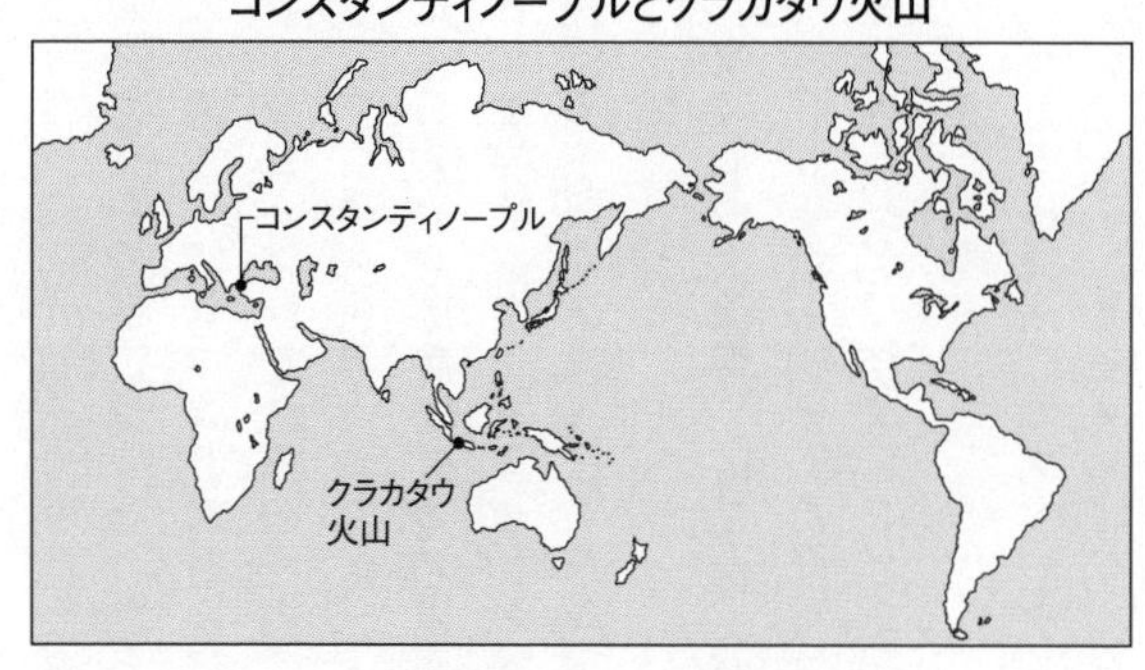

6年だったという。また、モンゴルの松の木の年輪は、５３０～５４０年代にかけて狭くなっており、５３６年には霜によるダメージを受けた痕跡も残されていた。

このような異常気象が起こった原因は噴火であり、その際の巨大な噴煙によって硫酸エアロゾルが成層圏に広がり、太陽光が遮(さえぎ)られたためと考えられている。では、どこの火山が噴火したのかといえば、その候補はいくつかあるが、有力視されているのは次のふたつだ。

ひとつは、中米エルサルバドルにあるイロパンコだ。現在のイロパンコは、広さ72平方キロメートルのカルデラ湖となっているが、放射性炭素による年代測定によれば、カルデラが形成されたのは４０８年から５３６年にかけてのどこかで起こった巨大な噴火が原因とされている。また、この噴火により、周辺のマヤ文明の都市は荒廃したという。

そのイロパンコよりもさらに有力な候補とされているのが、インドネシアのジャワ島とスマトラ島の中間にあるクラカタウ火山である。約6万年前までクラカタウは火山島だったが、大噴火により島は消滅し、海底にカルデラを残した。このカルデラが、535年ごろに大噴火を起こしたと考えられているのだ。このときのクラカタウ火山の噴火によって発生した硫酸エアロゾルが原因の酸性雨の痕跡が、グリーンランドの氷床（ひょうしょう）コアから見つかっている。

●ペストの大流行で一日1万人が死亡する

536年から始まった異常気象によって、ビザンツ帝国では農作物の不作などが起きたが、しばらくしてそれよりも恐ろしいものが帝国を襲った。ペストの大流行である。

ペストは元来、ネズミ、とくに草原に棲むクマネズミを宿主（しゅくしゅ）としている。そして、ペスト菌を保有しているネズミの血をノミが吸い、そのノミが人間の血を吸う際にペスト菌を媒介することで人間が感染する。異常気象によってクマネズミを捕食する大型動物が減ったことで、クマネズミが大繁殖。それがペスト大流行の原因となったと考えられている。

ペストははじめエジプトで流行が確認され、それがパレスティナ地方へ広がり、５４２年には、ついにビザンツ帝国の首都コンスタンティノープルに上陸した。疫病は猛威を振るい、最盛期にはコンスタンティノープルだけで一日１万人が死亡したという。また、このとき皇帝ユスティニアヌス１世もペストに罹（かか）ったため、５４２年の大流行は「ユスティニアヌスのペスト」とも呼ばれている。ユスティニアヌス１世自身は軽症で済み、一命を取り留めたが、ペストはその後もたびたびビザンツ帝国を襲い、５４２年からの１００年間でコンスタンティノープルの人口は40万人から10万人に激減したという。また、地中海世界の人口も４分の１に減ったともいわれる。

この急激な人口減少によってビザンツ帝国の国力は衰退。税収も減り、深刻な財政赤字に陥ってしまった。これにより、ユスティニアヌス１世のローマ帝国再建の夢は頓挫（とんざ）してしまう。

●ビザンツ帝国の衰退により躍進したイスラム帝国

ビザンツ帝国の衰退のおかげで躍進したのが、イスラム勢力だ。イスラム教は、7世紀初頭のアラビア半島で開祖ムハンマドが開き、そのムハンマドの死後、教団の指導者に選ばれたカリフ（後継者）は、ジハード（聖戦）に取り組んだ。アラブ人を中心とするイスラム教徒たちは軍隊を形成して周辺地域に侵攻し、勢力を拡大したのである。ムハンマドが亡くなった4年後の636年にはビザンツ軍をシリアから駆逐し、642年にはエジプトのアレクサンドリアを占領。652年にはイタリアのシシリー島を支配下に収めた。

こうして、一時期はローマ帝国の領土をすべて回復する勢いだったビザンツ帝国の領土は縮小の一途をたどり、それは9世紀になるまで回復することはなかった。

そして、代わりにアラビア半島から地中海世界までを支配する巨大なイスラム帝国が成立し、ビザンツと入れ替わるように隆盛を極めていくのである。

アステカとインカ帝国を滅ぼした天然痘

時代：16世紀
地域：中南米

隆盛を極めた帝国は、なぜごく少人数のスペイン人に征服されたのか？

クリストファー・コロンブスがスペイン女王イサベルの命を受けて航海に出発し、新大陸（アメリカ大陸）を「発見」したのは1492年のこと。以後、スペインやポルトガルは新大陸に植民地を築き、莫大な富を得ていくが、それは同時に南北アメリカ大陸にもともと暮らしていた先住民にとっては悲劇でしかなかった。ヨーロッパからきた征服者たちは新大陸で、略奪、虐殺、搾取を繰り広げたのである。

さらに先住民を苦しめたのが、征服者たちがヨーロッパから持ち込んできたさまざまな感染症だ。それらの感染症の多くはユーラシア大陸固有のもので、新大陸には存在していなかった。そのため、先住民にはまったく免疫がなく、感染すると高い確率で死亡した。なかでもとくに犠牲者が多かったのが、天然痘(てんねんとう)である。

天然痘は天然痘ウイルスを病原体とする感染症で、これに罹(かか)ると、まず40度前後の高熱、頭痛、腰痛などの初期症状が出る。3、4日後にいったん熱は下がるが、やがて頭部や顔を中心に発疹が生じ、全身に広がっていく。それから再び高熱が出て、肺が損傷して呼吸困難を発症。重篤(じゅうとく)な場合は、呼吸不全によって死に至る。ただし、治癒すれば免疫抗体ができるため、二度と罹ることはない。

コロンブスが新大陸を「発見」したとき、南北アメリカ大陸ではアステカとインカ帝国というふたつの文明が栄えていた。スペイン人の征服者たちは、この両文明をわずかな人数で短期間のうちに滅ぼしてしまうが、そんなことができたのは、アステカとインカ帝国が戦闘によってではなく、戦う前に天然痘によって大きなダメージを受けていたためである。

●神と勘違いされたスペイン人

アステカは、14世紀前半にメキシコ中央部に建国され、当初は小国だったが、しだいに周辺諸国を制圧。15世紀に入ると地域の覇権(はけん)国家となった。新大陸の征服を目論むエルナン・コルテスに率いられ、スペイン人たちが1519年に到来したとき、アステカの支配圏は約20万平方キロメートルに及び、首都テノチティトランの人口は数十万人に達していた。

アステカとインカ帝国

この都市人口だけ見ても、当時としては世界最大規模である。また、首都の中心部には神殿や宮殿が立ち並び、経済活動も盛んであった。つまり、スペイン人たちがやってきたときが、アステカの絶頂期だったのだ。

それに対し、コルテスの軍勢は大砲や小銃で武装したわずか300人ほどであり、あとは16頭の馬がいただけだった。ところが、アステカはコルテスたちを撃退しようとはせず、はじめは財宝を贈ることで撤退させようとした。さらに、コルテスが首都テノチティトランへ到着すると、アステカの王であったモクテスマ2世は一切抵抗せず、スペイン人たちを歓待した。

これほどの無抵抗ぶりには、それなりの理由があった。アステカでは「白い肌をしたケツァルコアトルという神がいて、大昔に去ってしまったが、いつか帰ってくる」という神話が信じられており、白人のスペイン人たちを、その神だと勘違いする人が多かったのである。

●100年も経たずに人口が25分の1に激減

このような幸運の助けもあって、コルテスはやすやすとモクテスマ2世を捕らえ、幽閉。しばらくしてモクテスマ2世は急死してしまった。死因は、王がスペイン人をかばおうとしたことに怒ったアステカ人に殺されたとも、スペイン人に謀殺されたともいわれている。

そして、このときにはコルテスが持ち込んだ天然痘がアステカで流行し始めていた。住民たちは天然痘で次々と倒れ、さらにはモクテスマ2世の後を継いだクィトラワク王も天然痘により死亡してしまうのである。この混乱に乗じて、コルテスは1521年に首都テノチティトランを征服すると、クィトラワク王に代わって即位していたクアウテモク王を捕らえ、アステカを完全に滅ぼしてしまった。

その後、コルテス、およびスペイン人たちはアステカの住民たちの財産を略奪し、徹底的にテノチティトランを破壊し尽くした。それから、テノチティトランの遺構の上に植民地の首都として新たにシウダー・デ・メヒコ（メキシコシティ）を建設。その間も、アステカの先住民は天然痘をはじめとするヨーロッパから持ち込まれた感染症に罹り、人口が激減していった。

コルテス征服前のアステカの人口は、およそ2500万人であったと推測されている。だが、征服後の16世紀末の人口は、およそ100万人にまで減少していた。こうして、アステカの先住民社会は壊滅したのである。

●整備された道路網が感染症を広める

もうひとつのインカ帝国は、前史として、13世紀にクスコ王国が現在のペルー南東のアンデス山中に成立し、その後、1438年にクスコ王国の第9代の王であったパチャクテクが周辺諸国を征服し、インカ帝国として再編した。最盛期には、現在のペルー、ボリビア、エクアドルを中心に、チリ北部から中部、アルゼンチン北西部、コロンビア南部にまで広がる広大な版図(はんと)を支配し、80の民族と1600万人の人口を抱える大帝国であった。

そんなインカ帝国にスペイン人の征服者たちが侵攻してきたのは1532年のことで、アステカの滅亡よりも10年以上あとのことだ。しかし、インカ帝国はスペイン人の侵攻より先に、天然痘の被害にあっていた。すでにスペイン人たちによって支配されていたカリブ海沿岸地域から天然痘が侵入し、1527年に大流行を起こしていたのである。

インカ帝国はインカ道と呼ばれる道路網を領土内に整備していた。人や物資を効率よく運べるこの道路網が帝国の繁栄を支えていたが、このときはそれが裏目に出て、天然痘も効率よく広まってしまったといわれている。天然痘は、わずか数年間でインカ帝国の総人口の60～94パーセントを死に至らしめ、人口が大幅に減少した。

さらに、この大流行によって、当時のインカ皇帝であったワイナ・カパックと皇太子であるニナン・クヨチがともに死去してしまった。そして、空位となった王位をめぐり、ワスカルとアタワルパのふたりの王子が帝国を二分する内戦を起こしてしまう。この争いはアタワルパの勝利に終わったが、インカの国力はさらに衰退した。そんな矢先に、スペインの征服者であるフランシスコ・ピサロがスペイン人たちを率いて侵攻してきたのである。

●疫病は「神の怒り」

ピサロはペルー北方の高地カハマルカに滞在していた皇帝アタワルパのもとに赴き、スペインの属国になることとキリスト教への改宗を要求した。皇帝がこれを拒絶すると、ピサロたちとインカ帝国軍は戦闘状態となった。このとき、インカ帝国軍8万に対し、ピサロは168人の兵を率いているだけだったが、ピサロはこの戦いに勝利し、アタワルパを捕らえてしまうのである。

戦いにおけるインカ帝国軍の士気は、きわめて低かったともいわれている。この時代、ヨーロッパの人々も新大陸の先住民も、疫病は「神の怒り」と考えていた。そのため、インカの人々は、免疫をもたない自分たちが天然痘に倒れていく一方、すでに免疫をもっているスペイン人たちがまったく病気にかからない様子を見て、スペイン人たちが神に守られていると考えてしまったのだ。

人質となったアタワルパはピサロに、自分が幽閉されている部屋1杯分の金と2杯分の銀を提供することで解放してもらおうとした。だが、ピサロはこの身代金を受け取った後も、約束を違(たが)えて釈放を拒否。それどころか、アタワルパを処刑してしまう。

その後、アタワルパの弟マンコ・インカ・ユパンキが皇帝の座を受け継ぎ、奥地へ後退しながらスペイン人への抵抗を続けたが、天然痘のほかインフルエンザやチフスなどスペイン人が持ち込んだ感染症が蔓延(まんえん)したことで、ますます国力は低下していった。そして、1572年に最後の砦(とりで)が制圧されたことで、インカ帝国は完全に滅亡した。

インカ帝国を征服したスペイン人たちが、アステカのときと同様、先住民に過酷な仕打ちをしたことはいうまでもない。

「万有引力の法則」の発見に繋がった ロンドンのペスト流行

時代：1665年
地域：イギリス・ロンドン

黒死病はロンドン市民の暮らしを いかに激変させていったのか？

ペスト菌によって引き起こされる感染症のペストに罹ると、初期症状としては全身の倦怠感と高熱に襲われることになる。そして、その後の経過によって、ふたつの病型に分類される。

ひとつは腺ペストと呼ばれるもので、倦怠感と高熱のあと、腋下や鼠蹊部のリンパ腺が痛みとともにこぶし大に腫れ、やがてペスト菌の毒素により意識の混濁が起こる。その後、ペスト菌が血液によって全身に広がり敗血症を起こすと、全身の皮膚に出血性の紫斑が現われる。この紫斑のため、ペストは「黒死病」とも呼ばれた。

20世紀に抗生物質が発見されるまで、腺ペスト発症者の死亡率は50パーセントを超えたという。

もうひとつの病型は肺ペストだ。こちらはリンパ腺の腫れや紫斑はまったくないか、あっても軽微だが、血痰（けったん）や吐血（とけつ）といった症状が特徴だ。肺ペストの死亡率は腺ペスト以上である。

アジアに起源をもつペストがヨーロッパで大流行したのは、公式には前述した6世紀の「ユスティニアヌスのペスト」が最初とされている。だが、シルクロードの交易によってアジアから伝播（でんぱ）し、1〜2世紀のローマ帝国でも流行していたという説もある。

6世紀の流行以降も、ペストはヨーロッパ各地で断続的に猛威を振るった。とくに14世紀の大流行では、ヨーロッパの全人口の3分の1から4分の1が死亡したという。そして、1665年から翌年にかけてはイギリスで大流行した。約18か月間で、当時のロンドンの人口の4分の1に相当する約10万人の死者を出した。このときの流行は、「ロンドンの大ペスト」と呼ばれている。

●上流階級と富裕層が市内から逃げ出した「ロンドンの大ペスト」

ロンドンでは、1665年の年初からペストによる死者が出ていたが、すぐに広がったわけではない。だが、しだいに死者数は増加していき、7月に入るとロンドン市内でペストが大流行していることは誰の目にも明らかになった。

そこで、国王チャールズ2世をはじめとする上流階級や富裕層はロンドンを脱出し、イングランド南西部のソールズベリーに避難。そこでもペストが発生すると、9月にはイングランド東部のオックスフォードへとさらに避難した。

当然、庶民や貧民階級の人々もロンドン市内を逃げ出したかったが、知らない土地で生活の糧を得られる見通しもなく、なかなか難しかった。また当時、市長が発行する健康証明書がなければ、市の城門から外部に移動することはできなかったが、貧しい人々にその入手は困難であった。

ロンドン市内でペストによる死者がさらに増加すると、市外の町村は健康証明書の有無に関係なくロンドンの住民を拒絶するようになり、それどころかすでに避難していた人々を追い出すようになった。

避難民たちはロンドンへと引き返すほかなかったが、帰路の町でも住民から迫害されたため、寝泊まりする施設はなく、水や食べ物にも事欠くありさまで、悲惨を極めたという。

そんな彼らに夏の猛暑が容赦なく追い打ちをかけた。食糧不足で衰弱した避難民たちは、ロンドンにたどり着く前に、次々と命を落としていったと伝えられている。

●避難した故郷でのニュートンの大発見

「ロンドンの大ペスト」の影響により、イギリス国内の大学の多くも休校を繰り返していた。ケンブリッジのトリニティ・カレッジで学位を修得したばかりのひとりの青年も、大学が休校となったため故郷へ帰ることにした。この青年こそが、のちに歴史に名を残す数学者で物理学者、天文学者でもあるアイザック・ニュートンである。

ニュートンは、生まれ故郷であるイングランドの東海岸の寒村ウールスソープに戻ったが、とくにすることはなかった。しかし、そのゆったりとした日々のなかで、カレッジですでに得ていた着想を、時間を気にせず、雑事に邪魔さ

アイザック・ニュートン

れることもなく、自由に深める機会を得たのである。

そして、約1年半に及んだこの故郷での休暇中に、ニュートンは、「万有引力の法則」「微分積分学」「プリズムでの分光の実験（光学）」の発見や証明を果たした。

この3つは、のちに「ニュートンの三大業績」と呼ばれ、後世の数学や物理学に絶大な影響を与え、ニュートンの名を不朽のものとした。

それらはすべて、ペスト禍を逃れて故郷の田舎に戻っていた25歳のときになされたのである。そのため、この休暇は「驚異の諸年」とも「創造的休暇」とも呼ばれている。

ロンドン市民の多くはペストによって、この年、悲惨な目にあった。だがその一方で、ペストの大流行がなかったらニュートンの偉大な発見もなかったかもしれない。ちなみに、ニュートンが「木からリンゴが落ちるのを見て万有引力を発見した」という逸話が有名だが、これは後世のつくり話だという。

●大火が終わらせたペストの流行

ペストによって徹底的に痛めつけられている最中のロンドンで、さらに追い打ちをかけるような悲劇が1666年9月2日に発生した。パン屋のかまどからの出火がロンドン市内全域に広がって4日間も燃え続け、市内の家屋のおよそ85パーセントが焼失してしまったのである。この火事は「ロンドン大火」と呼ばれている。

ところが、この大火事の直後、どういうわけか急速にロンドンのペスト流行は沈静化した。因果関係ははっきりしていないが、ロンドン市街を復興する際、木造建築が禁止され、レンガ造りないし石造りの建築が義務づけられたことで、ペスト菌の宿主であるネズミの生息場所がなくなったためともいわれている。あるいは、単純に火災によってペスト菌が死滅したからともいわれている。

ともあれ、「ロンドン大火」の後、「ロンドンの大ペスト」が終息したことは事実だ。そして、これ以降、イギリスではペストの大流行は一切なくなったのである。

大航海時代の覇者ポルトガルを凋落させたリスボン地震

時代：1755年
地域：ポルトガル・リスボン

近代国家は、大震災にどのように対応したのか？

15世紀から始まる大航海時代は、ヨーロッパ諸国が金や香辛料を求めて遠洋航海に積極的に乗り出し、アフリカ、アジア、アメリカ大陸を次々と植民地化していった時代である。この大航海時代をリードしたのが、ポルトガルとスペインのふたつの国であった。

ポルトガルは、15世紀前半には人口110万人程度の小国にすぎなかったが、アフリカを迂回してインドに至る航路を開拓し、香辛料の取引で莫大な富を得て大国となっていった。海外進出で熾烈な競争を繰り広げたポルトガルとスペインは、1494年にトルデシリャス条約を締結。太平洋上の西経46度37分の線の東側で「発見」された土地はポルトガル領、西側はスペイン領と定めた。つまり、衝突を避けるために両国で世界を分割したのである。

その後、ポルトガルは1500年に南米のブラジルを植民地化。そのブラジルで1693年に金鉱が発見され、続けてダイヤモンドも発見されたことで、ポルトガルは空前の繁栄を迎えた。とくに、1706年から1750年まで在位したジョアン5世の治世下は「黄金時代」と呼ばれるほどであった。

しかし、そのジョアン5世が亡くなり、息子のジョゼ1世が王位を継いで5年後の1755年11月1日の9時40分、ポルトガルの首都リスボンを未曽有(みぞう)の大地震が襲った。これにより、リスボンは壊滅。そして、これが大航海時代の覇者(はしゃ)であったポルトガルの凋落(ちょうらく)の始まりとなる。

●激烈な揺れの後に襲いかかった津波と火災の恐怖

「リスボン大地震」と呼ばれるこの地震の震源地は、ポルトガル南部のサン・ヴィセンテ岬の西南西約200キロメートルの海底と考えられており、推定マグニチュードは8・5~9・0とされている。当時の記録によれば、揺れは3

津波と火災を描いた当時の図

分から5分ほど続いたという。その揺れによって市街の地面には5メートルほどの亀裂が無数に発生し、市内の建物の85パーセントが崩壊した。このとき、建物の下敷きになったりして即死した市民は約2万人にのぼったという。

死を免れたリスボン市民は、市内に避難所となるような広場がなかったため、河川敷や港のドックなどに集まった。避難民たちの目の前で潮が引いていき、川底や海底に沈んでいた船などが姿を現わした。

そして、地震発生から1時間足らずで津波が押し寄せ、港や市街地を呑み込んでいった。これにより、河川敷や港などの水辺に避難していた約1万人が命を落とした。

さらに、津波の被害を免れた市街地でも次々と火災が発生する。炎は猛烈な勢いで燃え広がり、リスボンは灰燼と化し、鎮火まで、じつに5日間を要した。当時のリスボンの人口は約27万5０００人だったが、建物の崩落、津波、火事などによって、最終的には5万5０００〜6万2０００人の市民が亡くなったとされる。

●国家が主体的に災害復興に取り組んだはじめての事例

このような甚大な被害を出した「リスボン大地震」だったが、この自然災害は国家が被害対応と復興に責任をもった最初の例ともいわれている。

地震発生の直後から、宰相のセバスティアン・デ・カルヴァーリョ（ポンバル侯爵）は軍隊と市民に遺体の処理と生存者の手当てを命じた。ちなみに、遺体の処理は公衆衛生を最優先とし、当時の慣習や教会の反対を無視して、片っ端から海に投棄された。

続いてポンバル侯爵は消火隊を組織し、市街地の火災の鎮火を急ぐと同時に、治安を維持するため、略奪者を見つけると簡単な尋問だけで、すぐに見せしめのために公開処刑した。それから軍に街を包囲させ、建築職人と屈強(くっきょう)な市民の市外への脱出を防ぐことで再建事業の人手を確保した。

これらの手法はかなり強引なものだったが、震災後の混乱を収め、素早い復興を実現するのに一定の効果があったことは事実だ。地震から1年以内に廃墟はすべて片づけられ、リスボンは大きな広場と直線状の広い街路を擁(よう)する、震災に強い街として復興したのである。

また、ポンバル侯爵は都市の再建を進めながら、ポルトガル中の教会に、地震はどのくらい続いたか、余震は何回感じられたか、海は普段の水位からどれだけ上昇したかなどの詳細な質問状を送り、地震とその影響の調査もおこなっている。地震の原因と結果を客観的、かつ科学的に調べようとしたのだ。そのため、ポンバル侯爵は地震学の先駆者とも呼ばれている。

このようなポンバル侯爵とポルトガル政府の対応は、おおむね妥当なものだった。だが、震災後、結局ポルトガルは世界の覇権国家の地位に戻ることはなかった。震災によって経済は大きな打撃を受けたうえ、下級貴族出身だったポンバル侯爵の専横をおもしろく思わない貴族たちが反発し、国内の政治的緊張が高まったことで、海外植民地拡大の勢いもそがれていったのである。

●思想家たちにショックを与え、近代の扉を開く

ところで「リスボン大地震」は、ポルトガルの歴史のみならず、ヨーロッパの思想界にも大きな影響を与えている。

当時、地震は一般的に「神罰」と考えられていたが、「リスボン大地震」が発生したのは「諸聖人の日」というキリスト教の祭日で、またポルトガルは敬虔なカトリックの国であった。だが、地震によって多くの聖堂が崩壊し、善人も悪人も一緒くたに死に、さらに、なんの罪もない多くの子どもたちも無残に死んでいった。そのことに、当時の知識人たちは大きなショックを受けたのだ。

この大地震について、ヴォルテールやジャン=ジャック・ルソー、イマヌエル・カントなど、同時代の思想家たちがさまざまな考察を残している。そして、この理不尽な天災である「リスボン大地震」を契機に、キリスト教神学や教会の権威から離れ、世界を合理的、科学的に見ようとする啓蒙思想が発展していった。そのため、この震災は近代の扉を開いたともいわれている。

フランス革命を引き起こしたラキ火山の噴火

時代：1783年
地域：アイスランド

8か月間続いた噴火は、なぜフランス国民を極限に追い込んだのか？

1789年に起きたフランス革命は、市民が君主や貴族、教会権力の圧政を倒した革命である。この革命によって、現在の私たちに広く共有される理念である民主主義や基本的人権といった考え方が、世界中に広まっていった。

また、その象徴ともいうべき革命で掲げられたスローガン「自由・平等・友愛」は、いまもフランスでは国の標語となっており、さらに1948年に国連総会で採択（さいたく）された世界人権宣言の第1条にも反映されている。

だが、じつは市民たちは、最初から「自由・平等・友愛」を掲げて、民主主義や基本的人権を認めさせるために革命を起こしたわけではなかった。彼らが革命を起こしたそもそもの理由は、深刻な食糧不足である。つまり、パンを求めて革命を起こしたのだ。

食糧不足となったのは、革命の数年前から異常気象が続き、農作物が不作だったためである。そして、その異常気象を引き起こした元凶こそ、1783年のラキ火山の噴火であった。

●噴火後の3~4年間、北半球が寒冷化する

アイスランド南部にあるラキ火山の周辺では、1783年の春先から断続的に地震が続いていた。大噴火が始まったのは、6月8日のことだ。突如、総延長約25キロメートルにわたって130もの火口が誕生し、そこから何十本もの火柱が上がった。このように、地表に生じた線状の割れ目から大量のマグマが噴出される噴火を、火山学の専門用語で「割れ目噴火(線状噴火)」という。

マグマの噴出は5か月ほどで終わったが、噴火自体は翌年の2月7日まで約8か月間も続いた。噴煙は上空15キロメートルにまで達し、有毒なガスが周囲にまき散らされたことで、アイスランドの農作物は壊滅。その年の冬には飢饉

が発生し、人口の20〜25パーセントに相当する約9300人が亡くなっている。

もちろん噴火の被害があったのは、アイスランドだけではない。この噴火によって、気管支喘息(きかんしぜんそく)や気管支炎などを引き起こす有害な二酸化硫黄が西ヨーロッパ全体に広がり、噴火から1年間で数万人が亡くなったとされる。また、風に乗った火山灰がヨーロッパ各地に降り積もり、この年の夏は「砂の夏」と呼ばれた。

さらに、噴火の影響はそれだけではなかった。噴煙によって太陽が遮(さえぎ)られたことで日照時間が減り、噴火後3〜4年の間、北半球の夏の気温が1・3度も下がってしまったのである。

寒冷化に襲われたのは、フランスも例外ではなかった。暖かい南西風が吹いた日数を見てみると、1861〜1978年の約120年間の平均が91・5日であるのに対し、1781〜1786年では平均66日となっている。とくに、1785年には45日しか暖かい風が吹かなかった。この異常気象により、農作物は不作となり、フランスの農民は困窮することとなった。

●労働者の収入の約9割がパン代に消えていく

1787年に入って、ようやく寒冷化は収まり、その年は豊作となった。だが、ほっとしたのも束の間、翌年の春になると今度は一転して、干ばつと熱波がフランスを襲った。この年の4月の月間降水量は、前年の3分の1以下である12ミリしかなかった。4月の平均気温も、前年が9・1度だったのに対し、この年は11・6度にもなっている。

4月は、小麦の生育にとってもっとも大事な時期だ。そんなときに干ばつが発生したことで、小麦農家は大ダメージを受けた。

これに追い打ちをかけるように、7月になると40万トンもの雹（ひょう）がフランス全土に降り注いだ。これがダメ押しとなって、フランスの小麦生産は壊滅的な状態となってしまう。

結局、この小麦の収穫量は、前年比で60パーセントも減少。前年は豊作だったのだから、それを備蓄していればこの危機を乗り越えることもできたはずだったが、慢性的な財政赤字に苦しんでいたフランス政府は、農作物を輸出に回してしまっていた。こんなところからも、フランス王政の末期的な様子がよくわかる。

小麦が不作になるということは、市場に出回る量が減り、価格が高騰するということだ。1788年に小麦価格は55パーセントも上昇し、翌年も下がることはなかった。

その結果、以前はフランスの労働者階級の収入に占めるパンの消費支出の割合は55パーセントほどだったが、1789年には88パーセントにまで跳ね上がってしまったという。

消費支出の5割以上がパン代だったそれまでのフランスの労働者階級の生活もかなり苦しいものだったが、それが9割となっては、収入のほとんどがパン代に消えるということだ。これではもはや生活をしていけない。

そして、そんなフランスの低所得者層にとどめを刺したのが、1788年から翌年にかけての極端な厳冬である。この年の冬にパリに霜が降りた日数は、例年の倍近い86日間にも及んだ。この寒さによって、暖を取るための燃料さえ買う金のない低所得者層の人たちは、凍った牛乳を溶かすことすらできなくなったという。

●フランスでもっともパンが高くなった日

こうして、農民や労働者の不満は限界寸前となり、1789年に入るとフランス各地で暴動が頻発するようになっていった。これがフランス革命へと拡大していく。こうした経緯により、農民や労働者が暴動で当初政府に要求していたのは、自由や平等ではなく、食糧だった。

当時のフランスには、キリスト教の聖職者たちの「第一身分」、貴族たちの「第二身分」、平民たちの「第三身分」という3つの身分が存在した。そして、その上に王が君臨していた。人口比で見てみると、「第一身分」は0・5パーセント、「第二身分」は1・5パーセントにすぎず、残りはすべて「第三身分」だった。しかし、その大多数となる98パーセントの「第三身分」を、わずか2パーセントの「第一身分」と「第二身分」が支配していたのである。さらに、「第一身分」と「第二身分」には免税や年金支給などの特権も認められていた。

このように革命前のフランスは超格差社会だったが、その格差の是正よりも、「第三身分」の人たちにとっては「今日食べるパン」こそが切実な問題だったのだ。フランス各地で暴動が頻発するようになっていた時期にパリに赴任（ふにん）していたイギリス大使は、4月30日の公文書に「不満の原因は食糧不足」とはっきり書き記している。

フランス革命が勃発したのは、圧政の象徴となっていたバスティーユ監獄をパリの民衆が襲撃した7月14日である。ちなみに、この日は、その年のフランスにおいてパンの価格がもっとも高くなっていた日であった。

●多数の犠牲を生んだ「革命」

フランス革命は成功を収め、国王ルイ16世は1793年にギロチンで処刑された。そして、王政と封建制度は崩壊し、財産や納税額にかかわらず、すべての男性に選挙権が与えられる普通選挙が実現した。

一方で、革命の混乱は続き、革命政府の内部分裂やテロ、恐怖政治などにより、多くの人々が命を落とした。

たとえば、1792年9月には革命に協力的でないという「反革命」の容疑でパリ市内だけで約3000人が逮捕され、そのうち1300人以上が裁判もないまま民衆のリンチによって虐殺されている。これを「九月虐殺」という。

さらに、1793年9月には「反革命容疑者法」が制定され、少なく見積もっても30万人が逮捕され、約2万人が処刑された。

フランス革命の期間は、バスティーユ監獄襲撃の起こった1789年から、ナポレオン・ボナパルトが第一統領となる1799年までの10年間とするのが一般的だ。その10年間で革命の混乱によって亡くなった人数は、100万人にも及ぶとされている。これは、第一次世界大戦におけるフランスの犠牲者とほぼ変わらず、また第二次世界大戦における犠牲者のおよそ倍だ。

また、フランス革命の混乱が完全に収まり、社会が安定したのは、ナポレオン3世が退位して第三共和制が成立した1870年ともいわれている。そういう意味では、100年近く革命の混乱は続いたともいえる。

このような長期間にわたる血なまぐさい犠牲のうえに、私たちに馴染みの深い民主主義や基本的人権は成立しているのだ。そして、そのきっかけとなったのが、ラキ火山の噴火なのである。

アメリカ発展の礎を築いたジャガイモ疫病

時代：1845年
地域：アイルランド

飢饉下、宗主国から見捨てられたアイルランド人の選択とは

ジャガイモは南米ペルーが原産地で、この地で繁栄していたインカ帝国を滅ぼしたスペイン人が、16世紀にヨーロッパに持ち帰ったとされている。以後、ヨーロッパ諸国に伝播（でんぱ）し、盛んに生産されるようになった。

そんなジャガイモを腐らせてしまう恐ろしい病気がジャガイモ疫病だ。この病気に罹（かか）ったジャガイモは、まず葉に暗緑色（あんりょくしょく）の斑点（はんてん）ができ、さらに葉の裏側に霜のような白いかびが発生する。その後、病気はイモにまで進み、その内部を腐敗させてしまう。

ひとつのジャガイモがこの病気になると周囲のジャガイモにも感染し、瞬（また）く

間に病気が畑一面に広がってしまう。とくに雨が続くと、葉にできた白かびから出る胞子が雨水によって流れ落ち、周囲に広がることで感染拡大の速度を上げる。現在では耐病性品種が開発されたことや、薬などもあるため、早めに発見できれば大きな被害は出なくなっているが、それでも病気自体はいまもなくなったわけではない。

そして、病気に強い品種や薬などが何もなかった時代、この疫病はジャガイモ生産農家にとって、もっとも忌むべきものだった。なかでも、19世紀にヨーロッパで大流行したジャガイモ疫病はアイルランドで甚大な被害を出し、その後の世界の歴史に大きく影響を与えた。

●5年間で人口を約25パーセントも減少させた飢饉

アイルランドの農民たちは、もともとはおもに麦をつくっていたが、ジャガイモの栽培方法が伝わると、しだいにジャガイモを盛んにつくるようになっていった。それには次のような事情がある。1801年にアイルランドはイギリスの実質的な植民地になってしまい、麦はイギリス本国の地主たちに地代として奪われるようになった。だが、ジャガイモは地代の対象とならなかったので、アイルランドの農業はジャガイモに特化していくこととなる。

　イギリスの圧政にあえぐアイルランドの農民たちの生活環境は劣悪だったが、生産性の高いジャガイモを食糧とすることで、人口は順調に増えていった。１７５４年には３２０万人だった人口が、１８４５年には８２０万人と約１００年間で２・５倍以上になっている。その一方で、貧しい農民たちにとってはジャガイモだけが唯一の食べ物であり、19世紀半ばにはアイルランド人の約３割がジャガイモに食糧を依存していた。

　そのような状況のなか、１８４５年にヨーロッパ全土でジャガイモ疫病が大流行してしまう。食糧をジャガイモに依存していたアイルランドでは飢饉が発生し、最終的に１００万人以上の餓死者を出してしまった。これはのちに「ジャガイモ飢饉」と呼ばれるようになる。

　もちろん、ジャガイモ疫病に襲われたのはアイルランドだけでなく、他のヨーロッパ諸国も同じだ。しかし、ヨーロッパの多くの国々では貴族や地主が農民の救済活動をおこなったのに対し、イギリスはアイルランドの農民たちをろ

1849年に描かれた、
飢饉に苦しむ母子

くに救済しようとしなかった。それどころか、ジャガイモは飢饉の最中もイギリス本国に向けて輸出され続けたのである。このようなイギリスの仕打ちによって、アイルランドの飢饉はますます拡大した。

さらに、別の面でも負のスパイラルが続いた。疫病が発生する前のアイルランドのジャガイモ総収穫量は1260万トンだったのが、疫病の流行が始まった1845年には840万トンに減り、1846年には260万トン、1847年には220万トンと激減している。これほど急激に減ってしまったのは、当然、疫病でジャガイモの生産量が落ちたこともあるが、ジャガイモ独特の栽培方法にも理由があった。ジャガイモは、収穫したジャガイモの一部を種イモとして植えることで栽培する。ところが、ジャガイモに食糧を依存していた農民たちは、ほかに食べるものがないため、種イモまで食べざるを得なかったのだ。これによって翌年の収穫量は減り、翌々年の収穫量はさらに減るという悪循環に陥ってしまったのである。

アイルランドでのジャガイモ疫病の流行は、１８４９年までの5年間続いた。その結果、疫病発生前には８２０万人いたアイルランドの人口は、流行終息後には６５０万人にまで減ってしまった。これは、5年間で人口が約25パーセントも減少したことになる。

そのうちの約１００万人は、餓死による減少だ。そして、残りの約１００万人は、新天地を求めてアメリカやカナダ、オーストラリアなどに移住した人たちであった。

●アメリカ発展の礎を築いた移民たち

１８４６年から毎年10万人以上がアイルランドを離れ、外国に移住したという。この移民ラッシュは１８６０年代まで続いた。

その移民のなかでも、とくにアメリカ合衆国に渡ったアイルランド人たちは団結し、アメリカ社会で大きなグループを形成し、政治の世界や経済界に大きな影響力をもつようになっていった。

たとえば、のちに第35代アメリカ大統領となるジョン・F・ケネディをはじめとし、多くの著名な政治家や実業家を輩出しているケネディ家の先祖は、1849年にアメリカに移住したアイルランド人である。また、フォード・モーターの創始者で、「世界の自動車王」と呼ばれたヘンリー・フォードの父親も、「ジャガイモ飢饉」のときにアメリカに渡ってきたひとりだった。

こういった多くのアイルランド系移民たちはアメリカの人口を増大させるとともに、産業を発展させる原動力にもなっていった。彼らこそが、20世紀に覇権国家となるアメリカの礎を築いたといっても過言ではないだろう。

ちなみに、現在のアイルランドと北アイルランドを合わせた人口は約640万人で、「ジャガイモ飢饉」終息直後の人口と、ほぼ変わらない。そういう意味では、アイルランドはいまだに飢饉の痛手から立ち直っていない。そして、ジャガイモ疫病の流行そのものは自然災害だが、それによって引き起こされたアイルランドの「ジャガイモ飢饉」は、当時のイギリス政府の無策と悪意による人災ということもできる。

クリミア戦争を大混乱に陥れたバラクラバ大暴風

時代：1854年
地域：ロシア・クリミア半島

強風で主力艦を失ったフランスが生み出したものとは

私たちの身近にあって、便利だったり、生活を快適にしてくれるモノには、戦争がきっかけで生まれたものが少なくない。たとえば缶詰は、戦争の遠征において食べ物を長期間保存したり携行するために発明されたものだし、コンピューターはミサイルの弾道計算のために開発された。またインターネットも、もともとはアメリカ国防総省によって開発されたものだ。

そして、現在の私たちの暮らしに欠かせない天気予報も、19世紀のクリミア戦争が契機となって生まれたものなのである。世界ではじめて天気予報を実用化したのはフランスで、その背景には、突然の暴風でフランス海軍が甚大な損害を受けたという苦い体験があった。

●フランス海軍最強の戦艦アンリ4世号の沈没

ロシアは国土の大半が寒冷地であり、一年中海が凍らない不凍港をもつことは建国以来の悲願だった。そのため、南の暖かい土地を求めて何度も南下政策を繰り返していた。

1853年10月16日に、ロシアがオスマン帝国に攻め入ったことで始まった戦争は、黒海に面したクリミア半島がおもな戦場になったことから、クリミア戦争と呼ばれている。攻め入る際、ロシアが表向きに掲げた開戦理由は、オスマン帝国内のギリシャ正教徒を保護するためというものだった。だが、実際には不凍港を獲得するためだったことはいうまでもない。

ロシアの南下に対して、イギリスとフランスは強い反発を見せた。ロシアが不凍港をもつことで海洋国家として乗り出してくることを望まなかったからである。そこで、ロシアの南下を防ぐため、両国はオスマン帝国を支援することを決定。1854年9月に、イギリスとフランスはロシアの拠点であるクリミア半島のセバストポリ要塞を攻略するため、艦隊に守られた大輸送船団を黒海に送り込んだ。

クリミア半島戦線における両軍の兵力は数の上ではほぼ互角だったが、兵器の質ではイギリス・フランス連合軍がロシアを圧倒していた。そのため、連合軍はロシア軍を容易に破り、半島へ上陸、輸送船団を護衛してきたイギリスとフランスの艦隊は、クリミア半島西岸からセバストポリ軍港沖に集結していたロシア艦隊を包囲・封鎖する態勢で布陣した。

しかし、11月10日の夜半から翌日早朝にかけて嵐が襲来し、イギリスとフランスの艦隊の一部に損害が出てしまう。そこで、連合軍艦隊は荒天に備えるため、布陣の変更を計画するが、13日に再び弱い時化(しけ)が発生したため、布陣の変更は時化が収まってからということになってしまった。これが大きな判断ミスだったのである。

14日の早朝、クリミア半島に突然、中心気圧約980ヘクトパスカル(980ミリバール)、中心付近の最大風速毎秒30メートルという猛烈な低気圧が接近してきた。風速30メートルというのは、現在でいえば走行中のトラックが横転するほどの強さであり、当然、屋外で人が立っていることも不可能だ。この大暴風は、セバストポリの南約9キロメートルに位置する小さな港町バラクラバを通過したことから、のちにバラクラバ大暴風と名づけられた。

荒天に備えて布陣を変える前に、バラクラバ大暴風の直撃を受けてしまった連合軍艦隊は、大きな被害を受けた。もちろんロシア艦隊も被害を受けたが、連合軍艦隊は沖合に展開していたため、より大きな被害を受けることとなったのである。とくにフランス海軍の被害は甚大で、当時の最新鋭であり、最強ともいわれていた鋼鉄製の戦艦アンリ4世号も、この暴風のせいで7000トンもの軍需物資を積んだまま沈没してしまった。

●世界ではじめて天気予報がつくられる

フランス海軍の誇りだったアンリ4世号の沈没の報せ（しら）は、フランス国内に大きな衝撃を与えた。フランス政府のベラン陸軍大臣は、当時、パリ天文台長だったユルバン・ルヴェリエに、嵐の来襲を予測する可能性があり得るかについての調査を命じた。

ルヴェリエは天文台長という肩書が示すように、本職は天文学者である。1846年には、まだ発見されていなかった海王星の存在を理論的に予測し、のちに、実際の観測発見に繋がったという実績をもっていた。そんなルヴェリエに、このときもフランス政府から白羽(しらは)の矢が立ったのだ。

まずルヴェリエは、ヨーロッパ中の学者たちに手紙を出し、バラクラバ大暴風の前後5日間の各地の気象情報を尋(たず)ねた。これにより、250か所からの気象データが集まったので、それを時系列順にヨーロッパの地図に書き込んでみた。すると、バラクラバ大暴風を生み出した低気圧は、はじめ大西洋で発生し、地中海を横断してから、黒海を北上したことが判明した。

ここからルヴェリエは、嵐の位置と進行方向や速度を、電報を使って短時間のうちに知ることができれば、嵐の接近を警告することができるという結論に達した。こうして、世界ではじめて天気予報が誕生したのである。

●気象情報こそが戦争の勝利の決め手

1855年、ルヴェリエは、気象観測を組織的におこなって報告するための計画書を作成し、国王ナポレオン3世に提出した。それに基づき、フランス政府はすぐさま気象局を設立した。そして、フランスの気象局は翌年から、ヨーロッパの約30地点の気圧、気温、風向・風速、天候などを記載した気象報告を毎日発行するようになる。

結局、クリミア戦争は、イギリス軍とフランス軍がなんとかセバストポリ要塞を攻め落とし、連合国軍の勝利に終わった。しかし、双方の消耗(しょうもう)は激しく、実質的には勝利者なき戦争だったといえる。ただ、この戦争以降、気象情報が戦争の勝利を決定づける重要な軍事情報であるという認識が広まり、各国は競って気象局を創設することになっていく。

第一次世界大戦の終結を早めたスペイン風邪

時代：1918年
地域：全世界

強毒性のインフルエンザが世界の若者を死に追いやった事情

20世紀初頭、ヨーロッパでは列強間の緊張が高まっており、やがて大戦争が起こるのではと予想されていた。その予想は、1914年6月28日、サラエヴォへの視察に訪れていたオーストリア＝ハンガリー帝国の帝位継承者フランツ・フェルディナント大公がセルビア人に暗殺されたことで、現実のものとなってしまう。

同年7月28日、ドイツに支持されたオーストリア＝ハンガリーがセルビアに宣戦布告。これに対し、ロシアがセルビアを支援しようとしたため、ドイツがロシアに宣戦布告した。こうして、第一次世界大戦が勃発する。ロシアと同盟を結んでいたフランスとイギリスも参戦。これにより、中央同盟国と呼ばれるドイツ、オーストリア＝ハンガリー、オスマン帝国と、連合国と呼ばれるロシア、フランス、イギリスなどの国々が衝突することとなった。

イギリスと日英同盟を結んでいた日本も連合国側で参加し、はじめは中立だったアメリカも、1917年に連合国側で参戦している。

両陣営が激突した戦線は、ヨーロッパのみならず、アフリカ、アジアにも拡大。世界大戦の名の通り、まさに世界中が戦場となった。そして、この世界を巻き込んだ戦争のさなかに、知らず知らずのうちに恐ろしい感染症が世界中に広まっていた。世にいうスペイン風邪である。

●もっとも死亡率の高かった第二波

スペイン風邪は、いわゆるインフルエンザの一種で、現在では病原体がA型インフルエンザウイルスであったことも判明している。基本的な症状も、発熱、頭痛、のどの痛みなど一般的なインフルエンザに似ているが、ただ死亡率が高いことが大きく違う。

最初にスペイン風邪が確認されたのは、1918年3月4日のアメリカ・カンザス州の陸軍基地であった。この基地はヨーロッパへ派兵されるアメリカ軍兵士の訓練基地であり、ここを感染源としてスペイン風邪は他のアメリカ軍基地やヨーロッパへと急速に広まっていった。

5月には、北アフリカ、インド、日本にも感染が広まり、7月にオーストラリアに達したところで感染拡大はいったん終息した。これが、スペイン風邪の第一波と呼ばれるものである。

この第一波では、従来のインフルエンザと死亡率にそれほどの違いはなかった。だが、変異により毒性の強まったウイルスの流行が、同年8月にアメリカ、フランス、西アフリカのシエラレオネで、ほぼ同時に発生した。第二波である。

この第二波は非常に高い致死性を示し、死亡者数も大幅に増加。第二波の流行は、瞬く間に世界中に広まり、10月には日本にも到達している。

第二波はその年の年末に世界的にほぼ終息したが、翌年1月には第三波が発生し、またしても世界中で流行した。ただ、この第三波の致死率は、第一波よりは高かったものの、第二波よりは低かった。

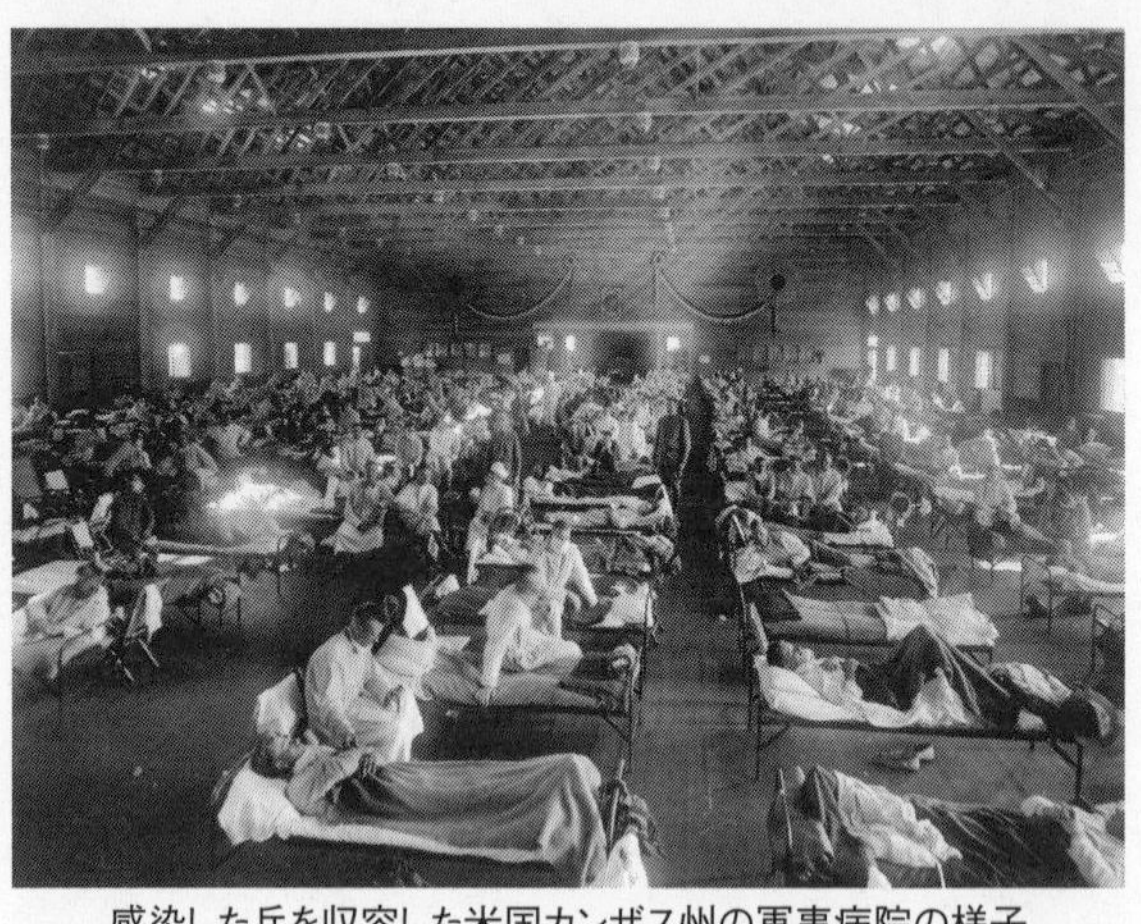

感染した兵を収容した米国カンザス州の軍事病院の様子

結局、スペイン風邪の世界的流行は、発生から3年後の１９２０年まで続いたが、やがて自然に終息した。ワクチンも治療薬もないのに終息した理由は、世界中で大勢の人が感染したことで集団免疫を獲得したためと考えられている。

ちなみに、スペイン風邪の起源についてはわかっておらず、さまざまな説が唱えられている。最初に発生が報告されたのはアメリカなのに、スペイン風邪と呼ばれたのには、次のような事情があった。

当時、第一次世界大戦に参戦中だった多くの国々が、国民の戦意喪失(そうしつ)

を恐れて、感染の拡大や死亡者数に関する報道を検閲によって抑えていた。しかし、スペインは大戦に参加していなかったため、報道も比較的自由で、さらに国王のアルフォンソ13世も感染してしまった。

そこから、スペインがこの感染症によって大きな被害を受けたというイメージを世界中で与えてしまい、スペイン風邪という呼び方が広まってしまったのである。

●戦争ゆえに広まり、広まったから戦争が終わる

スペイン風邪の流行当時、世界の人口は約18億人だった。その3分の1に近い5億人以上がこの感染症に罹(かか)り、死者数は1億人以上に達したといわれている。とくに被害が大きかった国を見てみると、インドで1200万～1700万人、アメリカで50万～85万人、ロシアで45万人(一説には270万人)、フランスで40万人、ブラジルで30万人、イギリスで25万人の死者が出ている。日本でも40万人前後の死者が出た。

スペイン風邪がこれほど世界中に広まったのは、第一次世界大戦中だったか

らであることは間違いない。

世界中が戦場となったこの戦争では、兵士や物資が国から国へと長い距離を移動し、それとともに感染症も広まっていったのである。また、前線における塹壕（ざんごう）や兵舎といった劣悪な環境で兵士たちが長期間密集して暮らしていたことも、ウイルスにとって増殖する格好の環境となった。

ところで、スペイン風邪には高い死亡率のほかに、通常のインフルエンザと大きく違う点がもうひとつあった。犠牲者の年齢層である。

一般的なインフルエンザで亡くなるのは、抵抗力が弱い乳幼児と高齢者に集中している。しかし、スペイン風邪では若年成人の死亡率が断トツに高かったのだ。

当時のアメリカの記録によれば、１９１８年から翌年にかけてのスペイン風邪による死者数の99パーセントは65歳未満であり、そのうち、ほぼ半数が20歳から40歳のあいだだった。この傾向は日本も同様だった。

第一次世界大戦は、開戦から４年後の１９１８年11月11日に停戦協定が結ばれ、連合国側の勝利で終わった。

ちょうどこのときはスペイン風邪の第二波が猛威をふるっている時期で、それゆえに終戦が早まったともいわれている。

感染症によって世界中で多くの若年成人が亡くなったということは、徴兵対象となる年齢の成人男性が減ったということだ。そのため、各国とも戦争の継続が難しくなり、講和を急いだということはたしかに考えられる。

もし、これが事実ならば、スペイン風邪は第一次世界大戦中に流行したために世界中に爆発的に広まったが、同時にスペイン風邪のおかげで戦争が終わったともいえるだろう。

空の交通網を破壊したエイヤフィヤトラヨークトルの噴火

時代：2010年
地域：アイスランド

北大西洋の氷河の噴火で露呈したグローバル経済の決定的弱点とは

エイヤフィヤトラヨークトルは、アイスランド南部にある氷河のひとつだ。この氷河の下には標高約1600メートルの火山があるが、有史以来、大規模な噴火は記録されていなかった。

しかし、2009年12月に火山活動に伴う地震が観測され、2010年3月20日に噴火が発生、近隣住民が避難する事態となった。

このときの噴火は小規模なものだったが、4月14日に2度目の噴火が発生すると、今度は大量の火山灰を含んだ噴煙が上空11キロメートルにまで到達するほどの大噴火となった。

火山灰は南下し、はじめ、イギリス北部に到達した後、ヨーロッパの広範囲に拡散した。これにより、ヨーロッパの航空網が麻痺(まひ)してしまう。

航空機にとって、火山灰は非常にやっかいな存在だ。まず、そもそも噴煙と火山灰によって視界が悪くなるので、安全な操縦が難しくなる。

さらに、火山灰に含まれる微細な破片が航空機のフロントガラスを傷つけたり、タービン・エンジンの内部で溶けることでエンジンを焼きつかせて停止させてしまうのである。

NASAの人工衛星が撮影した
エイヤフィヤトラヨークトル火山の噴火

それらの危険を回避するため、ヨーロッパ内のフライトやヨーロッパと他の地域間のフライトの多くは、14日のエイヤフィヤトラヨークトルの噴火直後にキャンセルされ、18日にはヨーロッパの約30か国で空港自体が閉鎖された。

ヨーロッパでの欠航は、17日だけで1万6000便、翌18日には2万便にもなり、その経済的損失は莫大なものとなった。国際航空運送協会によれば、この欠航による航空業界の損失は1日あたり2億ドル（当時のレートで約180億円）にも及んだという。

●天文学的金額となった経済的損失

噴火によるヨーロッパの航空網の麻痺は、航空業界に経済的損失を与えただけではなく、世界経済全体にも大きな影響を与えた。

経済がグローバル化された21世紀においては、世界各国で材料や製造物などが盛んに行き来するようになっており、ひとつの国だけで生産活動が完結することは少なくなっている。そのため、空港が閉鎖され、ヨーロッパと他地域とのあいだでの航空機による物資の輸送が不可能になると、世界中の経済が大混乱してしまったのだ。

それは、遠く離れたアジアも無関係ではなかった。たとえば日本では、部品のサプライチェーンが寸断されたために、日産自動車はふたつの工場を停止。

3モデルの自動車、計2000台の製造が滞る事態となった。あるいは韓国では、電子機器の空輸量が連日2割以上も低下したため、サムスン電子とLGエレクトロニクスは大きな損失を出している。

　このように世界全体に影響を及ぼしたエイヤフィヤトラヨークトルの噴火だったが、17日になると噴火活動が多少弱まったこともあり、EU（欧州連合）は20日午前8時から運航規制を緩和することとした。

　それに伴い、各航空各社はテスト飛行をおこない、じょじょに航空機の運航が再開されていった。

　だが、5月に入っても火山活動は収まらず、16日には活動の活発化が報告された。その結果、イギリス、アイルランド、オランダなどでは、再び空港が閉鎖された。

　結局、この噴火によるヨーロッパの航空網の麻痺は1か月以上も続き、経済的損失は天文学的な金額になったという。また、代替交通機関を求める人々が殺到したことで、鉄道やフェリーの運航も大幅に乱れた。

　噴火の規模自体は人類史に残るほどのものではなかったにもかかわらず、ここまで大きな影響を広範囲に及ぼしたのは、経済がグローバル化し、航空機による交通網が発達した現代だからである。まさに、現代文明ならではのもろさといえるだろう。

第2部
時代を大転換させた日本の天変地異

九州を千年間、無人の地にした鬼界カルデラの大噴火

時代：約7300年前
場所：九州地方

発掘で明らかになった噴火による縄文文化の断絶とは

日本列島は世界有数の地震大国にして火山大国だ。世界に占める日本の国土面積は約0・25パーセントにすぎないが、世界の地震の22・9パーセントは日本で発生し、活火山の数は7・1パーセントにもなる。そんな日本では、有史以来、無数の地震・火山噴火などの災害に見舞われてきた。

とりわけ九州には活火山が多い。なかでも代表的なのが、巨大なカルデラをもつ熊本県の阿蘇山（あそさん）だろう。カルデラは、巨大な破局噴火（ウルトラプリニー式噴火）によってつくられた円形の窪地（くぼち）のことをいう。つまり、巨大なカルデラがあるということは、それだけ大きな噴火が起こったことの証（あかし）でもある。

阿蘇山のカルデラは、有史以前に巨大な噴火を繰り返してできあがっていった。なかでも約9万年前の破局噴火では、直径約200キロメートルにわたって火砕流が流れ出し、いまの山口県にまで到達したという。マグマや火山灰などの噴出物は600立方キロメートルにのぼり、北海道や朝鮮半島にまで達した。

そのほか、約2万9000年前に起こった鹿児島県の始良火山での噴火は、何度かに分かれて流れ出した火砕流が南九州を覆い尽くした。鹿児島県を代表する活火山の桜島は、この始良火山の側山である。

●海底火山の噴火が九州を襲う

九州で起こった数々の大噴火のなかで、とくに日本の先史時代に大きな影響を与えたのが、約7300年前に起こった鬼界カルデラの大噴火だ。

鬼界カルデラは、鹿児島県の薩摩半島から南に50キロメートルほどの大隅海峡に位置する。南東約25キロメートル、北東から南西が約15キロメートルという巨大な楕円形で、水深は約500メートルほど。海底には多数の海底火山があるが、薩摩硫黄島（いおうじま）など一部が海面に出ており、現在も活動を続けている。
本土から離れた海底火山といえども、その噴火の威力はすさまじい。約7300年前の噴火は、噴出したマグマの量は約54立方キロメートルと、阿蘇山の噴火にくらべれば少ない。それでも、過去1万年のあいだに起こった火山噴火としては世界最大のものとされる。噴出した火砕流は海を渡って鹿児島県に到達し、鹿児島県南部の自然も生物もすべて焼き尽くした。

鬼界カルデラの噴火

参考：海洋研究開発機構ホームページ

　噴煙は上空30キロメートルの成層圏にまで達し、有毒な火山ガスを包んだ火山灰が日本全土に降り注いだ。九州南部で30センチメートル、九州北部から本州近畿地方でも20センチメートル、関東でも数センチメートルの火山灰が積もっている。

この火山灰が降り積もった地層は、のちにアカホヤ地層と呼ばれるようになった。アカホヤとは「赤くて役に立たない」という意味。アカホヤ地層は赤みがかった黄色のガラス質で、固くて作物が根を張ることができないことからそう呼ばれる。そしてこの地層が、縄文時代の早期と前期を分ける基準となるのだ。

●九州で文化を築いた縄文人が壊滅

鬼界カルデラの噴火以前、南九州には照葉樹の森林が広がっていた。そこに暮らす縄文人の食生活は、森での狩りや木の実の採取で成り立っていた。

鹿児島県南さつま市では、1万2000年前のものと考えられる栫ノ原遺跡が発見されているが、そこからはスプーンのようにしゃくれた独特の石器が出土している。また霧島市の上野原遺跡では、底の尖った土器が主流だった約9500年以上前に、平底の壺型土器が使われていた。紋様も、貝殻紋土器や塞ノ神式土器などの独自の文化を築いていたことがわかる。

しかし、鬼界カルデラの噴火によって、南九州の縄文文化は消滅する。まず火砕流によって多数の縄文人が焼死しただろう。さらに火砕流による被害を免(まぬか)れた森も、火山灰によって枯れ果ててしまったのだ。

九州北部や四国、近畿地方でも、森林が壊滅的な被害を受けた。そして、森がなければ縄文人は暮らすことができなかった。その結果、九州の縄文人は壊滅し、西日本全体が飢餓状態に陥ったのである。また、火山灰による呼吸器障害などで、命を落とした縄文人も少なくなかったと考えられる。

南九州で森が復活したのは、約９００年後のこと。そして九州地方で人類が再び生活できるようになるのは、１０００年近くたってからだ。

以後、アカホヤ地層の上から出土する縄文遺跡は、本州から伝わったとされる轟(とどろき)式土器や、朝鮮半島由来と考えられる曽畑(そばた)式土器ばかりとなった。これは、破局噴火によって九州の縄文人が壊滅したあと、森が復活したことにより本州や朝鮮半島から人々が流入してきたことを示している。つまり、噴火により九州地方の独自の文化は一度、失われてしまったのだ。

●生き延びたかもしれない九州縄文人

壊滅した九州の縄文人だが、一部は本州に逃れた可能性もある。というのも、噴火は、数時間から十数日の間隔をあけて起こったからだ。その間に、陸路で北九州へ、または丸木舟などを使って海路で本州や四国に逃れ、新天地に竪穴(たてあな)式住居による大規模定住集落を築き、南方の縄文文化を伝えた縄文人もいたことが考えられる。

その根拠となるのが、高知県の木屋ヶ内(こやがうち)遺跡や、伊豆諸島の八丈島の供養橋遺跡などで見つかった丸ノミ形石斧(せきふ)だ。これは、先に紹介した鹿児島県南さつま市の栫ノ原遺跡の石器が進化したものと推測される。また2000年に東京の多摩ニュータウンで発見された遺跡からも、大量の丸ノミ形石斧が出土している。さらに、縄文時代中期に本州で普及した土偶や装飾品などの一部も、九州の縄文人から伝わった可能性を指摘する説がある。

8世紀に成立した『古事記』や『日本書紀』には、天照大神(あまてらすおおみかみ)が天岩戸(あまのいわと)に引きこもったことから世界が闇に包まれたという神話が記されている。この話は、鬼界カルデラの破局噴火により、火山灰で太陽が遮(さえぎ)られてしまったことを示しているという説もある。

また建国神話においても、火の神を生んだイザナミは、吐しゃ物や糞尿からも神を生んで命を落とす。これも火山活動による、マグマや火山灰の噴出ととらえることができるだろう。

天孫降臨の地とされる宮崎県の高千穂峰も、西部には活火山である霧島山の御鉢があり、霧島連峰では過去何度も噴火が繰り返されてきた。そして神武天皇は、この高千穂から本州に進出して初代天皇となったとされ、記紀神話では、これが日本を治めるための覇業の第一歩とされる。

これは、頻発する九州の火山噴火から逃れるため、安全な地を求めての民族移動を反映したものとも考えられる。日本神話には、九州の火山活動によって植えつけられた、古代人の恐怖が投影されているのかもしれない。

聖武天皇に平城京への帰還を決意させた天平地震

時代：745(天平17)年
場所：近畿地方

天変地異が起こるたびに遷都が繰り返された理由

飛鳥時代後期より、天皇が暮らす都はたびたび移った。遷都の理由は相次ぐ天変地異であった。大化の改新を成し遂げた天智天皇の死後、後継者をめぐる壬申の乱によって弟の大海人皇子が天武天皇となる。この天武天皇の治世下で、672年に九州北部で筑紫地震が、そして684年には、西日本を中心とした白鳳地震が起こっている。

日本の史書で、最初に地震について記されたのは、416年の允恭地震だが、白鳳地震は詳細な被害が記録された最古の地震といえる。この地震は、記録に残る被害状況から想定すると、マグニチュード8以上の南海トラフ巨大地震だった考えられる。

天武天皇の死後、その皇后が持統天皇となり、694（朱鳥元）年に飛鳥京から藤原京への遷都がおこなわれた。そして701（大宝元）年には大宝律令が定められたが、この年もまた丹波で地震があった。そこで710（和銅3）年、さらに新たな都として平城京が建設されたのだった。平城京は唐の都・長安をモデルに、碁盤の目のような条坊制で区切られた、藤原京の3倍の面積を有する日本初の本格的な計画都市である。

このあと、平城京と聖武天皇は、たびたび起こる天変地異に翻弄され、日本の政治は混乱を続けることになる。

●長屋王の呪いと天変地異

平城京への遷都を主導したのは、藤原不比等である。不比等は大化の改新の功労者である中臣鎌足の子で、名門中の名門だった。

この不比等と並んで、平城京の実力者となったのが長屋王だ。彼は天武天皇の孫にあたり、不比等の娘を妃に迎えて連携を強化していたが、720（養老4）

年、不比等が死去すると、長屋王に権力が集中していった。

724（神亀元）年に聖武天皇が即位するが、このころから、不比等の子である武智麻呂、房前、宇合、麻呂の藤原四兄弟が、長屋王の失脚を目論むようになる。その背景には、長屋王の権力独占が続いたことにより皇族が優遇され、藤原氏の立場が弱くなっていたことがあった。

729（天平元）年2月、「長屋王がひそかに左道（呪術）を学び、謀反を計画している」との密告を受け、藤原四兄弟は長屋王を討伐する。この長屋王の変により、藤原四兄弟は、妹の光明子を聖武天皇の正妃である皇后とし、藤原四兄弟が、朝廷の実権を握った。

聖武天皇

長屋王の変から5年後の734（天平6）年4月、今度は河内（いまの大阪府東部）の誉田断層を震源とするマグニチュード7以上の地震が発生する。この天平河内大和地震は、畿内を中心に甚大な被害をもたらした。

この地震について、『日本書紀』に続く史書として編纂された『続日本紀』には、「地面が揺れて天下の百姓の家が壊れ、圧死するものが多かった、山崩れで川がふさがれ、地面の亀裂も無数に入った」とある。震源地に近い平城京も被害を受け、家々の塀や屋根が崩れ、下敷きになった人々の叫び声が市中に響き渡ったという。

このころの日本は遣唐使や遣新羅使を派遣し、積極的な対外政策を進めていた。その結果、大陸から仏教をはじめとした先進文化や技術が伝えられ、発展していた。これを天平文化という。

しかし、大陸からもたらされたものは文化や技術だけではなかった。大陸からは、恐ろしい伝染病も持ち込まれたのである。

７３６（天平８）年、遣新羅使の阿倍継麻呂の使節団が天然痘に感染し、継麻呂は帰国途中の対馬で病死する。そして残された使節団が平城京に帰還したことで、都に天然痘ウイルスが持ち込まれ、全国的な大流行となる。翌７３７（天平９）年には平城京ばかりではなく畿内各地で感染が拡大し、当時の日本の総人口の約３割にあたる、１００万人以上もの死者が出たと推測されている。

天然痘の猛威は、身分や職業を問わず、すべての人に襲いかかった。都では、なんと藤原四兄弟全員が、天然痘に罹って病死してしまう。地震に加え、権力者が相次いで病死するという事態に、人々は長屋王の怨霊のしわざではないかと噂しあった。

その後、朝廷では、四兄弟の政敵だった橘諸兄（たちばなのもろえ）、吉備真備（きびのまきび）、僧侶の玄昉（げんぼう）らが中心となっていく。なお、天然痘は九州ではすでに流行していたともいわれ、新羅が感染源と断定することはできない。ただ、怨霊のせいではなく、なんらかのルートで大陸からもたらされたのはたしかだろう。

●天災の責任は誰にあるのか

古代中国では、「天変地異は為政者の不徳によるもの」という天人感応説（てんじんかんのう）があり、これは日本でも信じられていた。地震と伝染病という相次ぐ災害に、もっとも心を痛めたのはほかならぬ聖武天皇だった。地震の3か月後には「この天変地異は朕（ちん）の責任である」との詔（みことのり）を発し、各地の被害状況を報告させている。

聖武天皇は仏教に深く帰依（きえ）しており、写経により、民衆の安泰と生業（なりわい）の保護を願うことを実践した。当時は、仏教の加護によって怨霊や天災を鎮められると考えられていたためである。そして、天然痘の流行は翌年には沈静化したのだった。

こうした仏教保護の方針に反発したのが、藤原四兄弟の宇合の子である藤原広嗣だ。広嗣は対新羅強硬派だったので、橘諸兄ら新羅との緊張緩和を目指す勢力によって大宰府に左遷されていた。これを不服とした広嗣が、740（天平12）年に「天災の元凶は吉備真備や、僧侶の玄昉にある」として、反乱の兵を挙げたのである。

●遷都を繰り返す流浪の聖武天皇

藤原広嗣の反乱に対して、聖武天皇はただちに鎮圧軍を差し向けた。しかし、この乱の最中に、天皇は突如として関東（いまの三重県から岐阜県／ここでの「関東」は、都を守る不破関、鈴鹿関、愛発関の東という意味）への行幸を始める。行幸の理由は「考えるところがあって」とはっきりしない。

そして広嗣の乱が鎮圧された後には、突如として行幸先の山城国相良（いまの京都府木津川市）への遷都を発表する。この新たな都は恭仁京といったが、この地を都としているあいだに、全国に国分寺の建立を決定し、墾田永年私財法を定めて開墾を奨励している。

また、742（天平14）年から近江国甲賀（いまの滋賀県甲賀市）に紫香楽宮を築いて離宮とし、翌年にはこの地に大仏を建立することを決定した。

その後も天皇の移転は止まらない。大仏の建造中にもかかわらず、744（天平16）年には、平城京の副都として整備されていた難波（いまの大阪市中央区）の難波宮に遷都することが発表された。このように短い期間に遷都が繰り返されたことで、政治は大いに混乱した。遷都を繰り返した理由はいまになっても謎だが、平城京だけではなく複数の都を置いて、リスクを分散させようとした副都構想があったのではないかという説もある。

●天平地震で頓挫した大仏の建立

紫香楽宮にておこなわれた大仏の建造は、国家プロジェクトとして膨大な人員と予算が投入された。ところが、ここでも地震の悲劇が繰り返される。745（天平17）年4月27日、美濃国（いまの岐阜県南部）を震源とするマグニチュード7・9の強い地震が発生したのである。この天平地震は三日三晩続いたといい、櫓（やぐら）や館、仏堂や仏塔、民の家々も被害を受け、少し触れるだけで倒壊してしまったという。余震はさらに20日以上続き、地割れからは水が噴出したという記録が残っている。

このとき聖武天皇は、各地で地震を鎮めるための読経をおこなわせた。しかし、紫香楽宮の大仏建立現場も壊滅的な被害を受けてしまい、工事の続行は不可能となった。一方で、震源から離れていた平城京には被害がなかったため、やはり都を平城京に戻すべきだという声が大きくなる。

聖武天皇が、どの地が都にふさわしいかと臣下に問うと、官吏（かんり）も僧侶も平城京との答えがもっとも多かった。これを受けて聖武天皇は、平城京に戻ることを決意した。聖武天皇が平城京を出ていた5年間は、彷徨（ほうこう）五年とも呼ばれている。

朝廷内の勢力争いが絶えなかったこの時代、地震や疫病など天災が頻発しており、その影響もあって聖武天皇は遷都を繰り返したのであった。

なお、頓挫していた大仏建立は、平城京の東大寺に752（天平勝宝4）年に成就した。

モンゴルの侵略軍を壊滅させた神風

時代：1281(弘安4)年
場所：九州地方

「神に護られた国」という信仰はなぜ生まれたのか

13世紀初頭、モンゴル高原の諸部族を統一したチンギス・ハーンによってモンゴル帝国が建てられる。遊牧民族であるモンゴル人は、騎馬による高速移動と集団戦術でたちまち周囲に勢力を拡大し、西はロシアを経て東ヨーロッパに進出。中央アジアや西アジアまで、地球の陸地のじつに4分の1をその支配下に置いた。

チンギスの子孫は、それぞれの地域でウルス(国)を建ててハン(王)となり、それら各ウルスをまとめる大ハーンがモンゴル皇帝となった。5代皇帝のクビライは、一族内の皇位継承争いを制すると、中国北部を支配していた女真(じょしん)族の金を滅ぼし、自身の直轄する地域を大元ウルス（元）とした。国号を漢民族風にすることで、中国の完全支配を目指しながら、その周辺国も併呑しようとしていたのだ。

そして、早々にモンゴル帝国の支配下に組み込まれた朝鮮半島の高麗を介し、日本にまでその範囲を広げようとしていた。ヴェネチア商人のマルコ・ポーロが記した『東方見聞録』では、クビライが黄金が無尽蔵に産出される「ジパング」の話を聞き、興味をもったのがきっかけとされている。

●無視を決め込んだ鎌倉幕府

当時の日本は、源頼朝が開いた鎌倉幕府が、国内統治の最高機関となっていた。

ただし、征夷大将軍である源氏は3代で断絶し、以後は朝廷から公家や皇族の将軍が派遣され、将軍を補佐する執権職の北条氏が実権を握っていた。時の執権である北条時宗は、生まれながらに北条家の総領となるべく期待される存在だった。

く。14歳で執権を補佐する重職の連署となり、17歳でいよいよ8代執権の座につく。1272（文永9）年には、異母兄の北条時輔をはじめ、時宗の執権就任に反対する勢力を粛清した二月騒動で、独裁権を確立していた。

そんなところに、クビライの意を受けた高麗の使者がやってくる。クビライからの国書である蒙古国牒状は、朝貢して国交を開くことを求めるものだったが、その文面は威圧的だった。これに対して時宗は、返書も出さず手ぶらで帰した。

以後、元からの使者は6回を数えたがすべて無視している。また、外交を担当する朝廷にも「異国のことであるから」と、とりあわないよう求めた。朝廷からの返書も、幕府で握りつぶしてしまったほどだ。

他方、高麗には元に抵抗を続ける軍事組織・三別抄があり、日本に共闘の話を持ちかけてきたが、時宗はこちらの要請も無視した。さらに国内では、日蓮宗を開いた日蓮が『立正安国論』において外国の侵攻を警告したが、幕府は日蓮を捕らえて流罪にしている。

●風は吹かなかった文永の役

日本から無視され続けたことで、クビライは1274（文永11）年に日本へ侵攻、「文永の役」が始まった。漢人と高麗人を含めた元軍約4万は、900艘あまりの軍船を仕立てて対馬と壱岐をたちまち制圧すると、その勢いのまま博多湾に侵入した。

日本側もなんの準備もしていなかったわけではない。西国に所領をもつ御家人には、防備を固めるように通達を出していた。そしていよいよ蒙古襲来の報告がもたらされると、少弐氏、大友氏を中心とした九州の御家人がこれを迎え撃った。

とはいえ、当時の日本の武士の合戦におけるしきたりは、名乗りを上げて一騎打ちを挑むもので、元軍にはまったく通用しなかった。博多に上陸した元軍は、一騎打ちを挑む日本の武士を大勢で取り囲んで容赦なく討ち取ってしまったのだ。

元寇と神風を描いた蒙古襲来絵詞

彼らの放つ矢には毒が塗られており、火薬を使った「てつはう」の轟音が人馬に恐怖を与える。肥前（いまの長崎県と佐賀県）の松浦党が多くの死者を出したこの戦いの様子は、戦いに参加した御家人のひとり、竹崎季長が描かせた『蒙古襲来絵詞』にくわしい。

しかし、上陸した元軍はわずか一日の戦闘で撤退していった。この撤退理由は不明だが、大風にあったとも、そもそも威力偵察だったため深入りしなかったともいわれる。ただ、現代の検証によれば、大風説は否定されている。気象学の観点から、戦いのあった10月19日から20日にかけて、九州に台風が上陸した形跡はないのだ。

一方で、元軍の未帰還者は、約1万３５００人にのぼったともいわれる。これには、北から南に吹く季節風により、攻めにいくにはよかったが、帰還するには困難が伴い、途中で低気圧に遭遇して船が転覆したのではないかという説が唱えられている。

●5倍の兵力が襲来した弘安の役

元軍の第一次侵攻となる文永の役は、このように元軍の撤退で終息したが、当然、再度の襲来が予想された。時宗は、このときも九州北部の海岸線に石塁を築くなどして防備を固めた。逆に高麗への侵攻も計画したが、こちらは中止されている。一方で、元から降伏を求める使者が訪れると、これを処刑して帰さなかった。

こうして両国の関係は再び険悪となり、1281（弘安4）年に元の第二次侵攻となる「弘安の役」が始まる。のちになって、この2度のモンゴル軍侵攻は「元寇」と呼ばれるようになった。

弘安の役に先立って、元は中国南部の南宋を滅ぼして南宋軍を編入しており、兵数は約15万、軍船は約4400艘という、世界でも類を見ない大船団での侵攻となった。

元軍は、高麗から出発した東路軍4万と、旧南宋水軍を中心とする江南軍10万以上の二手に分かれて進軍した。先鋒となった東路軍は、5月中には前回と同様に対馬と壱岐を攻略し、壱岐で江南軍と合流する予定だった。しかし江南軍の出発が遅れて予定通りに合流できなかったため、一度は単独で九州上陸を目指した。この攻撃は、防備を固めていた九州御家人の抵抗を受けて失敗している。

●大船団を壊滅させた大風

東路軍は日本軍の反撃を受けて被害を拡大させ、さらに疫病により3000人近い死者が出ており、戦意を大幅に低下させた。兵糧（ひょうろう）も尽き始めたため、壱岐まで撤退し、まず江南軍との合流を果たすことにした。

そして東路軍に遅れること約1か月、7月に入ってようやく江南軍が到着し、防備が薄く博多にも近い平戸（ひらど）の鷹島（たかしま）にて両軍は合流を果たす。7月27日の海戦では、停泊中の元艦隊に日本の軍船が攻撃を仕掛けたが撃退されている。

しかし、本土への上陸が秒読み状態となった7月30日夜半、北九州を襲った台風により、元の大船団は一夜で壊滅してしまうのである。

この台風は、九州の陸地にはほとんど被害を与えなかったようだが、海上にあった元軍の船は多くが沈没、あるいは破壊されて航行不能となった。被害が拡大した原因は、船同士を繋いで安定させようとしていたこと、また南宋水軍の船は外洋での航海に適しておらず、強度が貧弱だったことなどが考えられている。

密集した大船団は暴風と高波によって衝突し、船の残骸(ざんがい)と乗員の死体が入江をふさぎ「踏み歩いてわたることができた」ほどだったという。その後、日本軍は鷹島に上陸していた元軍をも掃討し、捕虜3万人を得た。

無事に元に帰還できた元軍兵士は、多くて半分以下、最小では1割だったともいわれる。

●神風信仰が招いた軍国主義

この大敗にもかかわらず、クビライは3度目の侵攻も計画した。しかし、南ベトナムのチャンパ王国の攻略に苦戦し、さらに北ベトナムの大越(だいえつ)国の反乱なども加わり、東と南に火種を抱えることとなった。そして1294（永仁2）年のクビライの死去とともに、日本遠征計画は中止された。

また勝利した日本にとっても、元寇の影響は少なくなかった。鎌倉幕府の統治体制は、御家人の奉公に幕府が恩を施す、御恩と奉公によって成り立っていた。国内の戦いでは、獲得した土地を御家人に分配することで主従関係が結ばれていたのである。

しかし元寇は防衛戦であるから、戦いに勝利しても新たに獲得した土地はなく、与えるべき恩賞もなかったのである。さらに、その後も元軍の襲来に備えて防備を固めなければならず、異国警固番役に任じられた御家人には負担が重くのしかかる。

この事態に直面した幕府は、借金に苦しむ御家人救済のために、借金を棒引きにする徳政令を発したが、かえって商人の貸し渋りを招き、困窮する御家人はむしろ増加した。

こうして各地で御家人の不満が高まり、さらに北条時宗は、弘安の役の3年後に、34歳の若さで病死してしまう。これらのできごとは鎌倉幕府の衰退を招くきっかけとなっていくのだった。

ところで朝廷と幕府は、九州の御家人たちが元軍と戦っているあいだ、異国調伏（ちょうぶく）の祈禱を全国でおこなわせた。そのため、元軍を壊滅させたのは神仏の加護によるもので、大風は神が吹かせた神風であると考えられたのだ。

さらには文永の役での元軍撤退までが、神風によるものとされた。本来の「神風」は、伊勢にかかる枕詞（まくらことば）である。しかし神風への過度な期待が、日本の国粋（こくすい）主義の象徴となっていく。

そして、明治以降の日本の神国思想と軍国化、第二次世界大戦敗戦前の神風特攻隊結成へと繋がっていく。

北条貞時の専制政治を生んだ鎌倉大地震

時代：1293（正応6）年
場所：鎌倉

北条氏独裁にあらがう動きはなぜ震災に打ち砕かれたのか

元寇を退けた鎌倉幕府では、北条時宗の死後、激しい権力抗争が巻き起こった。その行方に大きな影響を与えたのが鎌倉大地震である。

時宗の遺児である北条貞時は14歳で9代執権となる。1284（弘安7）年のことである。貞時には兄弟がなく、有力な親族もいなかった。そこで、外祖父にあたる有力御家人の安達泰盛が後見人として政務を担うこととなった。

泰盛は、弘安の徳政と呼ばれる改革をおこなうが、その改革には、執権である北条氏の権力を削減する意図も含まれていた。鎌倉幕府は、3代将軍源実朝が暗殺されて以降は、有力御家人の合議制で進められてきた。執権である北条氏は、いわば議長のようなものであり、本来はほかの御家人と同列な立場だった。しかし、北条氏によって三浦氏や畠山氏などの有力御家人が次々と粛清されていき、のちには実質的な北条氏の独裁体制となっていたのだ。

●北条家の執事がおこなった恐怖政治

泰盛の改革に反発したのが、北条家の御内人であった平頼綱である。御内人とは、北条氏の宗家である得宗家の執事のこと。つまり北条氏の私的な使用人にすぎないのだが、元寇の折には九州に派遣され、執権の名代として御家人たちに指示を与えるなど、幕府内でも大きな存在となっていた。

そこで１２８５（弘安8）年、頼綱は、泰盛が謀反を企んでいると執権の貞時に吹き込み、泰盛討伐の許可を得ると、泰盛が貞時邸に出仕したところを襲撃。乱闘になったが、不意を衝かれた泰盛は自分の子どもとともに自害した。

この一件は旧暦の11月におこなわれたため、霜月騒動と呼ばれる。安達一族は５００人余りが自害に追い込まれ、安達氏を支持していた御家人も討伐されてしまった。

こうして有力御家人を一掃した頼綱は、貞時の代理人として実権を握り、北条得宗家の権力をさらに強化し、同時に御内人の権限も強化していった。ただ、立場としては執権である北条貞時の執事にすぎない頼綱は、幕政に参加することはできない。そこで、監察官として幕府の評定に加わり、さらには貞時の承認も得ずに公文書を発行し、反対者を次々と粛清していった。この頼綱による恐怖政治には、御家人だけでなく、主人の貞時も不満を募らせていく。

●地震への備えが誤解を招く

こうして頼綱の専横がきわまった1293（正応6）年4月、関東地方を中心に大地震が発生する。この地震はのちに元号が永仁に変わったことから永仁地震、または鎌倉大地震とも呼ばれ、幕府の所在地である鎌倉地方に大きな被害を与えた。

鎌倉は、三方を丘陵に囲まれ、残る一方が海という、防御には適した土地だが、その半面、災害には弱かった。相模トラフが近く、1241（仁治2）年にはマグニチュード7の大地震で津波被害を受け、さらに1257（正嘉元）

年にも同程度の地震が発生し、関東地方全域は大きな損害を被っていた。鎌倉大地震もまた相模トラフ地震と考えられ、地震の大きさはマグニチュード7以上と推定される。鎌倉では北条時宗が創建した建長寺が炎上したほか、多くの寺院が倒壊した。死者の数は2万3000人以上といわれる。

この地震のさなか、頼綱は身の危険を感じて屋敷の防備を固めさせた。しかし、この行動が頼綱討伐の口実となる。頼綱の嫡男でありながら、父と不仲だった平宗綱が、貞時に父の動きを不穏であると報告。これを受けて貞時が頼綱討伐を決定する。御家人の恨みをかっていた頼綱は、兵士に屋敷を取り囲まれて自害。一族93人が、屋敷に放たれた炎のなかで死亡した。この一件は、頼綱の別名から、平禅門の変と呼ばれる。

このとき、執権の貞時は23歳になっていた。地震による不安の高まりからの行動か、頼綱を排除して実権を取り戻そうとしたのかはわからない。しかし、鎌倉大地震によって、結果的に貞時の専制政治が始まることになる。

戦国時代到来のきっかけとなった享徳地震と享徳の乱

時代：１４５４（享徳３）年
場所：東北地方

東北の大地震が関東の勢力争いを招き室町幕府の動揺に波及した？

執権の北条氏に不満を抱く朝廷と御家人たちによって、１３３３（元弘３）年、ついに鎌倉幕府は終焉を迎える。

しかし、その後に親政した後醍醐天皇と、御家人たちを率いた足利尊氏との関係が悪化し、後醍醐天皇の南朝と、新たに天皇を立てて征夷大将軍となった足利氏の北朝に分裂。さらに、足利尊氏の弟の直義と、足利家の執事であった高師直の主導権争いなど、室町時代に入っても混乱は続いていた。

１３９２（明徳３）年、尊氏の孫で３代将軍となった足利義満の代に、明徳の和約が成立し、ようやく南北朝は統一。ところが、鎌倉時代に続き、この南北朝時代にも政変、地震、疫病、飢饉などが頻発し、何度も改元がおこなわれてきたのである。しかも北朝と南朝で異なる元号を使っていた。

改元は、吉事による改元を祥瑞改元、災厄をはらうための改元を災異改元という。平安時代末期からは、災異改元が増えており、それだけ災害が多かったことがわかる。

しかし、南北合一後の「応永」の元号は33年10か月も続き、明治以前の元号のなかでは最長となった。改元されなかったのは、朝廷と幕府の対立などの諸事情もあったが、室町時代のなかではもっとも安定した時期だったからだと考えられる。

●鎌倉公方と関東管領のいさかい

足利義満の死後、将軍位は次々と変わり、1429（永享元）年には、僧籍に入っていた義満の子が足利義教として6代将軍となった。

しかし、この将軍選定がくじ引きによって決定したことから、有力候補だった鎌倉府の足利持氏が反発する。鎌倉府は、室町幕府が関東の統治のために設置した機関で、足利氏の一族が長を務めて鎌倉公方と呼ばれていた。この鎌倉公方を補佐するための在地勢力の長を関東管領といい、こちらは山内上杉氏が世襲していた。

　持氏が幕府への敵対姿勢を強めると、関東管領の上杉憲実が諫めたが、持氏はこれを聞き入れずに兵を向けた。しかし、この永享の乱は、幕府の支援を受けた上杉憲実が勝利し、持氏は自害に追い込まれる。その後、関東の結城氏が持氏の遺児を奉じて結城合戦を起こすが、こちらも鎮圧された。

　しかし、そのころ都では将軍の義教が臣下の赤松満祐に暗殺されるという衝撃的な事件（嘉吉の乱）が発生する。その後も将軍の早逝や後南朝の蠢動など混乱が続いた。この間、関東では上杉氏の独裁体制が築かれたが、これに反発する勢力も存在した。

　そこで幕府は、持氏の子の足利成氏を新たな鎌倉公方に任命する。成氏のもとには、かつての持氏臣下が集結し、一方で上杉氏は憲実の子の憲忠が関東管領となった。こうして、ともに10代と若かった成氏と憲忠を中心としたふたつの勢力の対立は、しだいに激化していった。

●東北から関東までを大津波が襲う

このように、関東で不穏な情勢が続いていた1454（享徳3）年、深夜すぎに東北地方を巨大地震が襲った。さまざまな史料により、とくに上野（いまの群馬県）、上総（いまの千葉県中部）、会津（いまの福島県西部）で揺れが激しかったことが記録されている。

実際の震度や被害状況については不明な点も多いが、甲斐（いまの山梨県）の僧侶が記した『王代記』には、奥州で大きな津波が発生したことが書かれている。

この史料には、津波は「山の奥百里入って」とある。内陸部にまで及んだ津波の引き波によって多くの家や人がさらわれたのだ。ただし、「百里」というと、単純計算すると約400キロメートルにもなってしまう。海岸から百里奥だとすれば、東北地方がすべて水没してしまう。

これは誇張した表現と思われるが、一方で奥州は東北地方全体のことを指す。そのため、青森県から茨城県までの太平洋側百里にわたっての津波と考えると、あながち誇張ともいえない。

その後の調査により、この時代に海岸線の砂が内陸部約1キロまで侵入した形跡があることが判明している。またシミュレーションの結果、巨大地震のエネルギーを測定するモーメントマグニチュード（Mw）は、最低でも8・4と考えられている。そして、この地震の約1か月後には関東地方を揺るがす、享徳の乱が発生するのである。

●30年にわたる戦乱は戦国時代の幕開け

享徳の乱は、足利成氏が上杉憲忠を鎌倉の自邸に招いて謀殺したことに端を発する。上杉氏の重臣であった長尾氏と太田氏は、憲忠の弟を立てて反撃を試みるが、成氏の軍勢に敗れて常陸（いまの茨城県）まで撤退する。

しかし幕府は成氏の行動を咎め、討伐軍を差し向けた。この討伐軍が鎌倉を制圧し、成氏は下総の古河（いまの茨城県古河市）に逃れて古河公方と呼ばれるようになった。そして幕府は、新しい鎌倉公方として足利政知を派遣した。

ところが、上杉氏など関東の武士はこの決定にも異を唱えたため、政知は鎌倉に入れず、伊豆の堀越（いまの静岡県伊豆の国市）に落ち着いて、堀越公方となった。

享徳地震と享徳の乱の、直接の因果関係は不明だ。しかし、地震が起こる前の東北地方は、成氏に味方する結城氏などが駆逐され、上杉勢の力が強くなっていた。そこで、地震の混乱を機に成氏側が失地回復をねらった可能性が出てくる。

この時期に、成氏側の里見(さとみ)氏が津波被害を受けた安房(あわ)(いまの千葉県南部)を制圧したことを指摘する歴史学者もいる。また、その後の鎌倉失陥も、津波被害の大きかった鎌倉を放棄し、古河に逃れたという見方が示されている。

いずれにせよ、享徳の乱により、関東では約28年ものあいだ、断続的に戦闘が続いた。

最終的には1482(文明14)年に和議が結ばれたが、その間には畿内で、しばしば戦国時代の始まりともいわれる応仁の乱が始まる。しかし、関東の勢力争いによって幕府の権威が失墜し、各地に飛び火することになった享徳の乱こそが、戦国時代のきっかけといえるだろう。

●600年周期で起こる東北の地震

ところで、享徳地震からさかのぼること585年前の869（貞観11）年、やはり東北地方で、貞観地震が起こっており、その規模は、享徳地震と同程度と推定されている。平安時代には東北地方は未開の地とされていたが、やはり津波が発生して多くの被害が出たという記録が残っている。そして、享徳地震から557年後の2011年には、東日本大震災が起こった。

文部科学省の機関である地震調査研究推進本部は、約600年周期で、東北地方に巨大地震が起こっていることを指摘している。

豊臣政権にとどめを刺した慶長伏見地震

時代：1596（文禄5）年
場所：近畿地方

大震災で秀吉がとった行動とはそして秀吉の死後に及んだ余波とは

群雄割拠（ぐんゆうかつきょ）の戦国時代に、日本統一を目指した織田信長は、家臣の明智光秀による本能寺の変で散った。そのあとを受け、天下統一を果たしたのが豊臣（羽柴）秀吉である。

秀吉の覇業は、地震とともに始まり、地震とともに終わったともいえる。1585（天正（てんしょう）13）年、秀吉は朝廷より関白（かんぱく）の位を与えられた。

ところが、そんな秀吉の大躍進にブレーキをかける大災害が発生する。それが同年11月29日に起こった、天正地震だ。地震の規模については諸説あるが、中部地方の複数の断層を震源とし、マグニチュード8前後と考えられている。

震度は6前後で太平洋側、日本海側にまで被害が及んだ。

　当時日本に滞在していたポルトガルの宣教師であったルイス・フロイスは「人々が見聞きしたことがなく、史書にも読まれたことのない、すさまじいものであった」と記している。

●城主・領民ともに生き埋めになった帰雲城

　天正地震の被害記録は各地に残されているが、なかでも甚大な被害を受けたのが飛騨（いまの岐阜県北部）であった。世界遺産・白川郷にあった帰雲山の西側山腹で大崩落が起こり、城主の内ヶ島氏の居城である帰雲城と城下町をすべて呑み込んでしまった。

　この内ヶ島氏はもともと反秀吉勢力だったが、秀吉方に降伏して所領を安堵されたばかりだった。そして、その祝いのために城下に領民を集めて宴を催したその日に、国ごと滅亡してしまったのである。直前に降り続いた大雨で、地盤が緩んでいたことも影響したと考えられる。

　その他、美濃（いまの岐阜県南部）では、大垣城が全壊焼失。奥美濃の郡上八幡では、山崩れにより一瞬にして集落が埋没したという。秀吉の家臣のなかでは、前田利家の弟にあたる前田秀継とその妻が、居城の越中（いまの富山県）木舟城の倒壊とともに死亡。さらに、秀吉のかつての居城である近江（いまの滋賀県）の長浜城は全壊し、城主であった山内一豊の娘が亡くなっている。

京都でも、三十三間堂の仏像が600体も倒れ、複数の寺社の伽藍が損壊するなど、広範囲で被害を受けている。フロイスは、日本海に面した若狭湾で起こった津波により、海辺の町が水没したとも記録している。

●徳川家康を討伐できなかった秀吉

天正地震発生時、秀吉は琵琶湖のほとりにある坂本城に入っていた。かつては明智光秀の居城であったが、秀吉は凄まじい揺れを感じると、「手がけていた一切のことを放棄し、馬を乗り継いで飛ぶように大坂に避難した」という。

このとき、秀吉が手がけていたのが徳川家康討伐だった。前年の小牧・長久手の戦いで、秀吉は家康軍によって劣勢に追い込まれていた。兵力では秀吉が勝っていたのだが、家康は織田信長の次男である信雄を擁していた。そこで秀吉は、信雄と個別に和睦し家康の大義名分を奪い、かろうじて和睦に持ち込んだのである。

その後、秀吉は畿内、中国、四国地方を平定して後背を安定させた。さらに関白に就任すると、越前の佐々成政や先ほどの内ヶ島氏など、中部北陸地方の反秀吉勢力を個別に攻略していった。地震の2週間前には、家康の重臣であった石川数正を秀吉側に引き込むことにも成功している。秀吉と家康との再戦は秒読み段階にあったといえる。

ところが、地震により戦いどころではなくなってしまったのである。兵糧を集めていた大垣城が焼失し、先鋒を務める予定だった山内一豊は、先述の通り城と娘を失っている。

秀吉と和睦した織田信雄の居城の伊勢（いまの三重県）長島城も倒壊するなど、中部地方の大名がほとんど被災していた。

対して、家康の本拠地である三河（いまの愛知県東部）、駿河（いまの静岡県中部）は、居城の岡崎城が損壊したものの、震度は4程度で領内に大きな被害はなかった。

この地震により、秀吉は家康に対する戦略の練り直しを迫られた。そこで、自分の妹である朝日姫を家康の正室とし、さらに実母の大政所(おおまんどころ)をも家康のもとに送った。家康に臣下の礼をとってもらう代わりに、秀吉のほうから身内を人質に差し出すという、なりふり構わない手段に出たのだ。

こうした秀吉からのプレッシャーに負けた家康は、翌年上洛すると、ついに秀吉への臣従を誓った。そして翌年、秀吉は天皇より豊臣姓を賜(たまわ)り、太政大臣(だいじょうだいじん)となる。天正地震は豊臣政権が確立する契機となったが、一方で家康を滅ぼす機会を失うことになったのであった。

●西日本を襲い改元までさせた大地震

家康を臣従させた秀吉は、その後、九州統一を目前にしていた島津氏を降(くだ)して西日本を勢力下に収めた。さらに、有力大名で唯一残っていた関東の北条氏を、大軍を動員した小田原征伐で滅亡させた。残る東北の諸大名も臣従したことで、天正地震からわずか5年で天下統一を果たす。

しかし、天下人として君臨した5年後、さらなる大地震に見舞われてしまう。

1596（文禄5）年の閏7月13日の子の刻（深夜0時）、京都で発生した大地震は、マグニチュード7程度と天正地震より規模は小さかった。しかし、地盤の緩い下京や西山で甚大な被害をもたらし、1000人以上の死者が出た。東寺の五重塔や、嵯峨野の天龍寺や大覚寺が倒壊。そして、秀吉の居城として完成したばかりの伏見城の天守も崩れてしまう。また、国家鎮護のために建立した方広寺の大仏も、完成を目前に焼失してしまった。

この地震により、文禄から慶長へと改元がおこなわれ、以後、慶長伏見地震と呼ばれるようになる。じつは、その前日には九州の豊後（いまの大分県）で、マグニチュード7クラスの慶長豊後地震が発生したばかりだった。さらにその3日前、四国の伊予（いまの愛媛県）でも慶長伊予地震が起こっている。

この伏見地震は、京都に近い有馬高槻断層帯を震源とし、六甲淡路島断層帯も連動した直下型地震とされる。一方で、豊後地震は別府湾日出生断層帯、伊予地震は中央構造線が震源地と考えられている。西日本一帯に走るそれぞれの活断層が連動し、巨大地震となって大きな被害をもたらしたのだ。豊後地震ではさらに津波も発生し、1000人以上が波に呑まれたという。

●地震からの復興を願う鐘をめぐり豊臣氏滅亡

天下統一後の5年間で、秀吉は聚楽第を建設し、黄金の茶室をつくるなど天下人として贅を尽くした。

一方で1592（文禄元）年には、15万近い兵力が動員されたが、明の介入により和議が結ばれた。ところが、慶長伏見地震の翌年となる1597（慶長2）年、秀吉は再度朝鮮出兵（慶長の役）をおこなっている。

大地震からの復興も果たせていない西側諸国の大名にとって、出征のための兵力動員と戦費の捻出は大きな負担となっていた。そのため、1598（慶長3）年に秀吉が病死すると、慶長の役はすぐに中止された。

慶長伏見地震の前年、秀吉は甥の秀次を謀反の疑いで切腹させ、その妻子ら39人を処刑している。秀次切腹の真相は謎だが、その2年前に、秀吉の側室の淀殿が男子を出産していた。この男子がのちの豊臣秀頼である。

秀吉は、五大老と五奉行の制度を定め、徳川家康ら有力大名を自身亡き後の秀頼の補佐役とした。

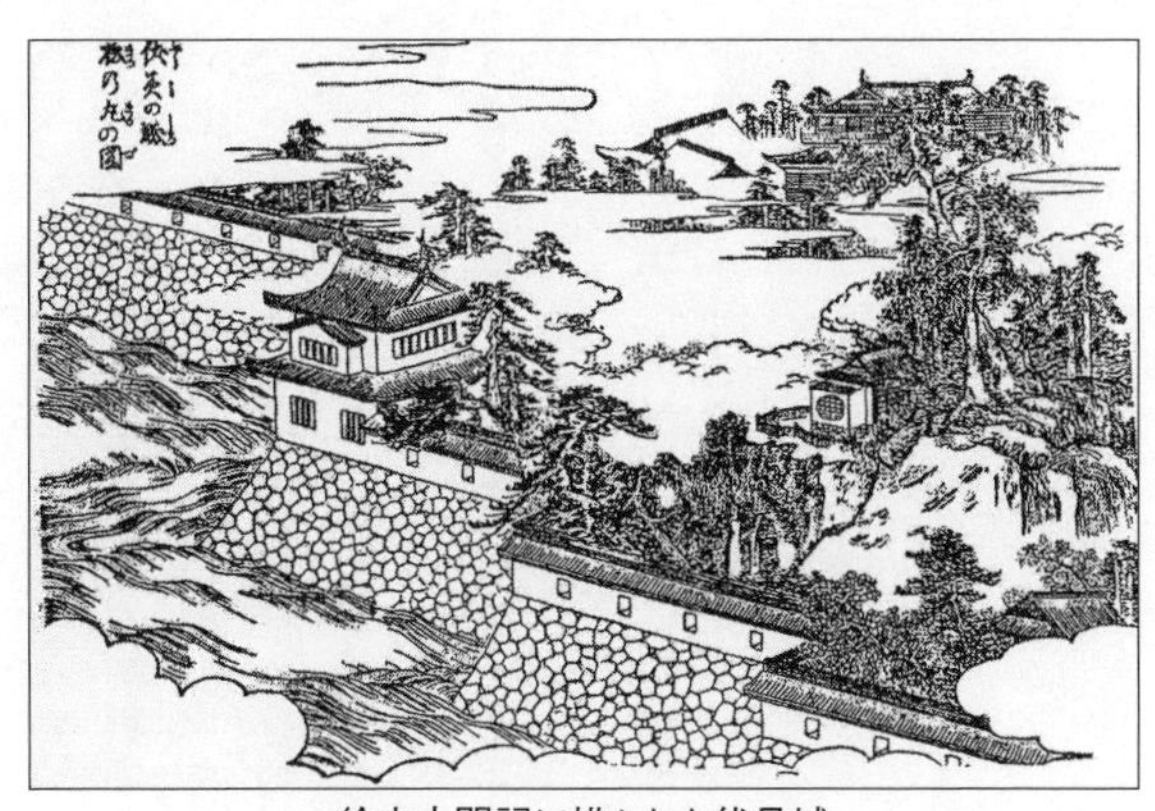

絵本太閤記に描かれた伏見城

そして地震の直後には、倒壊した伏見城をさらに堅牢で豪華な城とするように命令し、翌年には再建させている。地震の直後、秀吉の子飼いの大名であった加藤清正は、いち早く秀吉の安否を気遣ってかけつけたことから「地震加藤」と讃えられた。しかし、それ以外の大名は、強引な朝鮮出兵や、被災者を後回しにした伏見城再建に不満を募らせ、家康に期待を寄せていた。

このように、すでに地震が起こる前から、秀吉の独裁への不満はくすぶっていた。慶長伏見地震は、それらの不満が噴出するきっかけとなったといえる。そして地震直後におこなわれた二度目の朝鮮出兵となる慶長の役は、そういった大名たちの信頼を取り戻すため、新たな領土獲得を目指したものとも解釈できる。

しかし、結局は無理な出征でさらに人心を失うことになった。慶長伏見地震は、まさに豊臣政権にとどめを刺した自然災害といえるだろう。

なお、慶長伏見地震で焼失した方広寺の大仏は、豊臣秀頼によって再建された。ところが、1614（慶長19）年に完成した梵鐘（ぼんしょう）に「国家安康、君臣豊楽」の銘文が刻まれたことから、家康を呪詛（じゅそ）したものと、家康から言いがかりをつけられる。

この「方広寺鐘銘事件」を端緒に大坂冬の陣が始まり、翌年の大坂夏の陣で豊臣家は完全に消滅した。地震の爪あとは、豊臣家滅亡にまで尾を引いたのである。

田沼意次を失脚させた浅間山の大噴火

時代：1783(天明3)年
場所：関東甲信越地方

老中の大胆な財政改革に「待った」をかけた天変地異とは

江戸時代の中期、18世紀に入ると幕府は慢性的な財政難に陥り、その後、何度か幕政改革をおこなっている。徳川幕府8代将軍吉宗による享保の改革と、老中松平定信による寛政の改革のあいだに、田沼時代と呼ばれる時代がある。

後世に賄賂政治家として悪名を残すことになる老中田沼意次は、18世紀の後半に改革を推進したが、この田沼時代は、江戸の大火や天明の飢饉、浅間山の噴火など次々と天変地異が襲った時代でもあった。

田沼意次は、禄高600石という小身旗本である田沼家の出身であった。そこから9代将軍家重の小姓となり、やがて家重の信任を得て、将軍側近の御側御用取次から1万石の大名にまで出世していく。

家重の死後も、10代将軍家治に信頼されて側用人となり、1772（安永元）年には相良藩5万7000石に加増された。ついには老中の職にもついたが、小身の旗本から側用人にまで抜擢され、老中になったのは、江戸幕府が開かれて以降、はじめてのことであった。

●重商主義を求めた改革

江戸時代の財政の基本は、米を税として納めさせる年貢をもとにした重農主義にある。しかし米の収穫量は毎年違い、米の価格も一定しない。吉宗も米相場を安定させるのに苦心し、積極的に新田開発をおこなうことで、米将軍とまで呼ばれた。ただ、その改革の効果は思ったほど上がらなかった。結局は民に倹約と重税を強要することになり、息子の家重の代では困窮農民による一揆が多発した。幕府は有効な打開案を模索しているところだった。

そこで老中首座の松平武元以下、幕閣による財政改革がおこなわれたが、それを実質的に主導したのが田沼意次だった。

意次の政策は、重農主義ではなく重商主義にあった。また、自身が貧乏旗本の出身である意次は、身分制度にとらわれず才能と実力さえあれば積極的に活用した。譜代の家臣団をもたないことから、大名になってからも武士以外の人材を抜擢している。

また、江戸では発明家の平賀源内を支援しており、同時期には杉田玄白らが『解体新書』を刊行している。こうした既成概念にとらわれない考え方が、意次の真骨頂といえる。

意次が目指したのは、経済を活性化させることで金の流れを生み、内需拡大と貨幣流通を促進し、そのうえで商人に課税して幕府の収入源としようというものだ。商業活性化のためにとったのが、同業者組合である株仲間の奨励で、特定の商品の独占販売権を与えた。

そしてその代わりに、運上金や冥加金として税を幕府に納めさせた。さらに新貨幣を鋳造して、一定しない貨幣価値の統一を図った。重商主義といっても農業が国の根幹であることは忘れず、商業であげた利益を、千葉県北部の印旛沼や手賀沼の干拓事業に回している。

●改革を邪魔する人災と天災

このように意次の改革は画期的なものだったが、だからこそ反発も大きかった。特権的な富裕商人が生まれた半面、武士の生活は苦しくなる。こうした富裕商人と癒着（ゆちゃく）する役人が増加し、その大元締めが意次と噂されていく。

また、儒教による序列を重んじる武士の社会にあって、意次のような実力主義に基づく人材登用は異質であり、しょせん成り上がり者と見くだす声も少なくなかった。それでも、改革が成功して経済が上向けばよかったのだが、意次の改革にあらがうように次々と災厄が訪れるのである。

まず、老中になったばかりの1772年に、江戸の三大大火に数えられる明和の大火が起こっている。目黒の大円寺への放火による出火は、南西の風にあおられて北上し、神田や千住（せんじゅ）方面にまで拡大した。焼失した大名屋敷は169、寺は382を数え、死者1万4700人、行方不明者4000人という大惨事となり、火は3日間燃え続け、意次の屋敷も類焼してしまった。

さらに1782（天明2）年には、異常気象による大飢饉が発生、同年に小田原で地震が発生し、江戸にも被害を与えた。そして、1783（天明3）年

4月9日、意次の改革を霧消させる、天明浅間山噴火が発生する。

●火砕流に呑まれた日本のポンペイ

長野県と群馬県の境にある浅間山は、過去何度も火山活動を起こしてきたが、天明の噴火は現代までを含め浅間山の歴史で最大のものだった。比較的規模の小さなブルカノ式噴火が、約3か月にわたりほぼ1か月ごとに噴火と小康状態を繰り返したが、7月3日からの3日間でより強大なプリニー式噴火に変化し、噴煙の高さが上空20キロメートルにまで達する。

このとき、中山道の宿場町であった軽井沢には、赤く熱せられた噴石が降り注いで家々を焼いた。火山灰は浅間山から30キロメートルほど離れた高崎で10センチメートルほども積もり、江戸にも到達してあたりを暗くするほどだったという。

もっとも被害が大きかったのは浅間山の北側で、鬼押出溶岩が流れ出して山腹を下っていった。現在、群馬県嬬恋村にある鬼押し出し園には、この溶岩が冷えて固まってできた奇岩が並ぶ。そして、この鬼押出溶岩が下流の柳井沼と接触すると、轟音とともに水蒸気爆発を引き起こしたのだ。

この爆発の衝撃で山崩れが発生し、火砕流となって麓の鎌原村（いまの群馬県嬬恋村）を呑み込んだ。

当時の鎌原村には５９７人が暮らしていたが、生き残ったのは村の高台にあった観音堂に逃れたわずか１００人足らずだった。この観音堂は現在も残るが、石段の数は15段しかない。しかし、その後の発掘調査により、当時は50段あったことが判明し、埋まっていた階段からは逃げ遅れた母娘と思われる女性の遺骨が発見された。この鎌原村の悲劇は、「日本のポンペイ」とも呼ばれている。

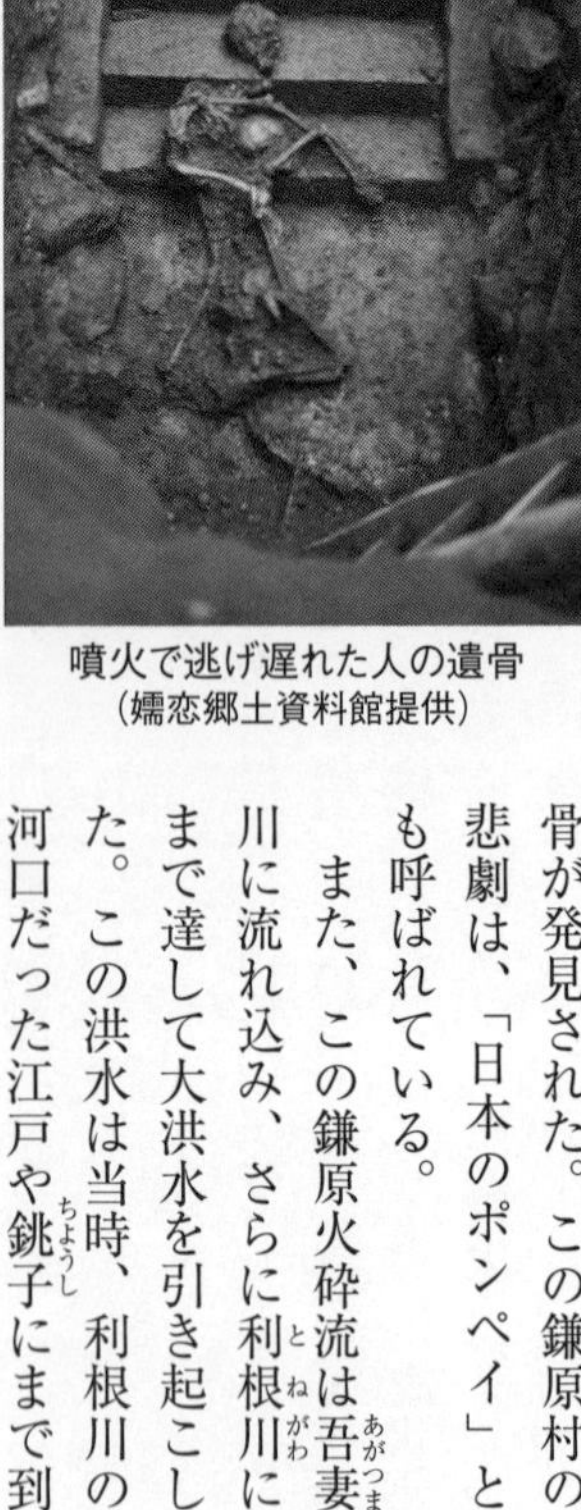

噴火で逃げ遅れた人の遺骨
（嬬恋郷土資料館提供）

また、この鎌原火砕流は吾妻川に流れ込み、さらに利根川にまで達して大洪水を引き起こした。この洪水は当時、利根川の河口だった江戸や銚子にまで到達し、1600人以上が流されて、泥流には人や家畜の死体が浮いていたという。このとき流れた土砂の量は約1億立方メートルといわれる。これを東京ドーム に換算すると、約800杯分にもなる。

●飢饉は浅間山噴火のせいではなかった

このように甚大な被害をもたらした浅間山の噴火だが、じつは噴火の規模としてはそれほど大きなものではない。浅間山から噴出したマグマの量は約2億立方メートルと考えられるが、これは1914（大正3）年の桜島の噴火の10分の1、また1707（宝永4）年の富士山の宝永噴火の3分の1ほどでしかないのだ。

「浅間山の噴火が飢饉を招いた」という説もあるが、浅間山の噴火は地球環境を変えるほどの影響力はもたなかった。そもそも、天明の飢饉は浅間山が噴火する前年から起こっているのである。

では、飢饉を招いた原因とは何だったのか？　そもそも稲は温暖な気候で栽培されていたものだ。それを寒冷地の東北地方に作付けしたため、天明年間に入る前から、悪天候や冷害による農作物の不作は起きていた。

さらに、浅間山噴火と同じ年に、前述したアイスランドのラキ火山の噴火が起こっている。ラキ火山の噴出物の量は、浅間山天明噴火の80倍であった。また、同じくアイスランドのグリムスヴォトン火山も噴火した。噴出物は成層圏にまで達して太陽光を遮り、地球規模の寒冷化を引き起こした。

このように、ただでさえ不作続きだったうえに、アイスランドの噴火の影響が日本にまで及び、飢饉に拍車をかけたものと考えられる。もちろん、浅間山の噴火も無関係とはいえないが、大きな原因はほかにもあったのだ。

●寛政の改革への移行

意次は、東北地方に米の買い占めの禁止を通達したが、商人たちはここぞとばかりに買い占めと売り惜しみに走った。この動きは大名にも波及し、陸奥白河藩（いまの福島県）の松平定信は、他藩の米を買い占めて自領を救った。

やがて、意次の改革と災害対応への不手際に批判が集中し、噴火の翌年には意次の息子で若年寄を務めていた田沼意知が江戸城で暗殺されるという事件が発生する。

さらに1786（天明6）年7月には、江戸三大洪水に数えられる天明の洪水が発生し、翌月には将軍家治が病死した。意次はその2日後には老中を辞任させられ、居城や財産は没収されて完全に失脚し、その2年後、失意のうちに死去した。

新たに老中となったのは、飢饉対応を評価された白河藩の松平定信だった。定信は、質素倹約を奨励する寛政の改革を断行。しかし、遊興（ゆうきょう）を一切禁じる厳しい政策に「白河の　清きに魚も棲みかねて　もとの濁りの田沼恋しき」という狂歌も生まれた。

この定信の改革もまた猛批判を浴び、わずか6年で老中を解任されている。天災さえなければ、意次の改革は実を結んだのかもしれない。

佐賀藩を雄藩に押し上げる契機となったシーボルト台風

時代：1828（文政11）年
場所：九州地方

佐賀藩が台風からの復興と同時に尽力したこととは

江戸時代末期、衰退する徳川幕府を打倒し、明治維新を推進した4つの雄藩「薩長土肥」。このうち、薩摩藩（いまの鹿児島県）と長州藩（いまの山口県）はよく知られており、また土佐藩（いまの高知県）も坂本龍馬の人気が絶大である。

最後の肥前佐賀藩（いまの佐賀県）の出身者には、早稲田大学創立者の大隈重信らがいる。とはいえ、その後、薩長閥との意見対立により公職を辞していることもあって、他藩とくらべ、その存在感はやや薄い。

しかし、明治維新の達成は、佐賀藩の力なくしては語れないものだった。佐賀藩は、当時の日本でもっとも進んだ軍事力と技術力を備えた先進地域だったのだ。佐賀藩が所有する、最新式の西洋銃や命中率の高いアームストロング砲があったからこそ、維新軍は幕府軍を圧倒し、江戸を無血開城に導くことができたのである。

九州の外様大名にすぎなかった肥前佐賀藩が、なぜ技術立国となり、薩長からも一目置かれる存在となったのか？　それには、明治維新の40年前に発生したシーボルト台風の存在が大きく関わっている。

●佐賀藩だけで死者1万人を数える

1828（文政11）年8月9日、九州北部と中国地方を強烈な台風が襲った。台風の規模については諸説あるが、長崎の出島に滞在中だったドイツ人学者のフィリップ・フォン・シーボルトの計測によれば、中心気圧は952ヘクトパスカル。これは日本ではじめての、西洋式気象観測記録となった。

その後の研究では、最大風速が毎秒55メートル、総雨量は300ミリと推定されている。これは、過去300年のあいだに日本に上陸した台風のなかでは最大級の規模である。

そして、この台風の被害がもっとも大きかったのが佐賀藩だった。全国の死者は約2万人とされるが、そのうち佐賀藩だけで1万人以上が犠牲となっている。当時の佐賀藩の人口は36万7000人だから、約2・8パーセントが帰らぬ人となった計算になる。さらに、8万棟あまりあった家屋のうち、約3万5000棟が全壊、約2万棟が半壊。全壊率約44パーセント、半壊も含め70パーセント以上の家が被災した。

低湿地にあった田畑は壊滅的被害を受け、佐賀藩35万7000石といいながら、9割近くが収穫不可能となり、その年の収益はわずか4万石となってしまった。

佐賀藩は、戦国時代に北九州に勢力を誇った龍造寺(りゅうぞうじ)氏の重臣鍋島(なべしま)氏が、没落した主家にかわって藩主となった。龍造寺氏と鍋島氏のいさかいは、怪談話の「鍋島の化け猫騒動」などで有名だ。また、藩士の山本常朝(つねとも)が武士の心得を説いた『葉隠(はがくれ)』は、佐賀藩士の気風形成に大きな影響を与えた。

そんな佐賀藩は、長崎に近いことから、福岡藩と1年交代で長崎警護役とな

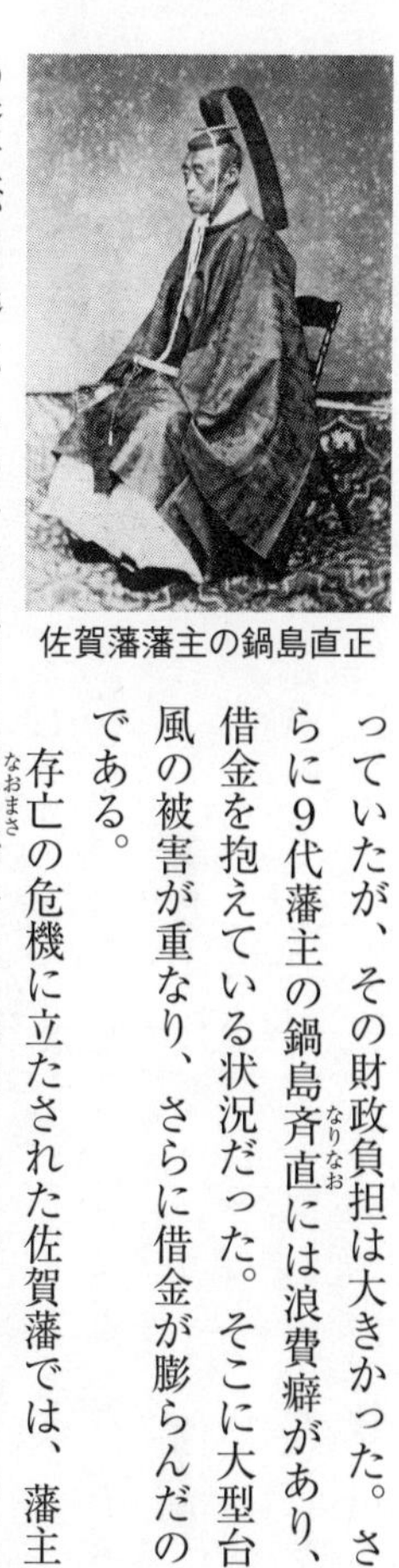
佐賀藩藩主の鍋島直正

っていたが、その財政負担は大きかった。さらに9代藩主の鍋島斉直には浪費癖があり、借金を抱えている状況だった。そこに大型台風の被害が重なり、さらに借金が膨らんだのである。

存亡の危機に立たされた佐賀藩では、藩主の斉直が引退し、その一七男だった直正が新たな藩主となる。1830（天保元）年のことである。まだ15歳だった直正は、事態を打開するために儒者の古賀穀堂と、義兄にあたる鍋島茂義の補佐を受け、産業の育成と生産性の向上、人員削減に加えて、西洋の技術や軍事力を積極的に取り入れた。

直正はその号である閑叟という名で呼ばれることも多く、幕末の名君として知られている。

●シーボルト台風の由来

この台風は、干支から「子の年の大風」や、元号から「文政の大風」などと呼ばれていたが、のちに「シーボルト台風」と名づけられる。台風に実在の人名がつけられるのは珍しいが、それはシーボルトが台風を計測したことによるものではなく、ある事件にちなんだものである。

シーボルトの肖像画

シーボルトは、オランダ商館の医師として1823(文政6)年に来日した。ドイツ人は鎖国中の日本には入国できないため、オランダ人と偽っての入国である。翌年には鳴滝塾を開いて日本人に蘭学を教え、門下生には高野長英や伊東玄朴などがいた。蘭学を教え、医師として長崎でも活躍しながら、シーボルトは日本の文化や動植物に興味をもち、日本の歴史についても深く学んだ。1826(文政9)年には、11代将軍家斉にも謁見している。

しかし、帰国のために乗船予定だったオランダ商船「コルネリウス・ハウトマン号」が、くだんの台風により座礁してしまった。そこで、修理のために幕府の役人が積荷を調査したところ、シーボルトの荷物のなかに、国外持ち出しを固く禁じられていた、日本の地図が入っていたことが問題視される。

これは、江戸で交流をもった高橋景保(かげやす)が、シーボルトから世界地図を贈られた礼に、シーボルトに贈ったものだったのだ。すぐさまシーボルトにはスパイの嫌疑がかけられ、高橋景保らシーボルトと関わった関係者も逮捕された。

シーボルトは一貫して学術目的のためだと主張したが、取り調べは1年あまりも続き、その間に高橋は獄中にて死去し、さらに遺体が斬首されている。そして、シーボルト自身は、1829(文政12)年に国外追放となった。

その後1961(昭和36)年になって、気象学者の根本順吉がこのシーボルト事件にちなみ、台風にシーボルトの名を冠したのである。ただ、現代の研究によれば、座礁したオランダ商船の積荷から地図が発見された記録はなく、シーボルトへの嫌疑は江戸でかけられたという説が有力である。

●鎖国体制の限界

佐賀藩に話を戻すと、1808(文化5)年にイギリスの軍艦フェートン号が長崎に侵入して補給を求めた。幕府は討伐を命じたが、佐賀藩に対抗できる力はなく、長崎奉行が責任をとって切腹している。

さらに3年後には、ロシアの測量船が国後島で拿捕され、艦長のゴローニン中佐が拘留されたことをきっかけに、ロシアが日本人を捕獲した。捕虜交換によって事件は解決したものの、相次ぐ外国との接触に、幕府は1825（文政8）年に異国船打払令を発布する。しかし、その後も開国を求める諸外国の船の接近は止まらなかった。

佐賀藩は台風被害の復興のなか、西洋に対抗できる軍事力を強化するために、まず西洋の兵器や戦い方を学ぶことで最新の技術を得た。その間にも、日本国内では開国派と鎖国維持派が対立し、幕末へと向かっていくのである。

洋式造船技術をもたらした安政東南海地震

時代：1854（嘉永7）年
場所：太平洋沿岸地域

津波によるロシア軍艦の沈没で築かれた日露友好の絆とは

鎖国か開国かで揺れた幕末の時代、幕府はふたつの大地震にも揺さぶられていた。この大地震と開国が、日本が海洋国家へと踏み出す第一歩となる。

1853（嘉永6）年6月3日、横須賀の浦賀にアメリカ合衆国のペリー提督率いる4隻の軍船が来航する。黒船と呼ばれる蒸気船から放たれる大砲（空砲）の音に、庶民は大混乱となり「泰平の　眠りを覚ます上喜撰（蒸気船）たった四杯で夜も眠れず」との狂歌も生まれた。

開港を求めるペリーに対し、日本は1年間の猶予を求めた。すると1か月後の7月17日、今度はロシアのプチャーチン提督率いる艦船4隻が長崎を訪れて開港を迫った。

幕府はこちらの回答も引き延ばしたが、翌1854（嘉永7）年2月に、1年の猶予を待たずしてペリーが7隻の黒船で江戸に来航。そして3月には、横浜に上陸したペリーとの交渉の結果、日米和親条約が結ばれた。その後、日本はイギリスやロシアとも和親条約を結ぶことになり、200年以上続けられてきた日本の「鎖国」体制は崩壊した。

●立て続けに起こった南海トラフ地震

その黒船来航直前の3月、小田原を震源とするマグニチュード6・7の地震が発生。小田原城下を中心に1000棟以上の家屋が倒壊し、死者は24人を数えた。また日米和親条約を締結した1854年の6月には、伊賀上野（三重県）を震源とするマグニチュード7・25の大地震が発生する。こちらの死者は1500人近くになり、倒壊家屋は上野で2000棟以上、奈良で400棟にのぼった。

さらに同じ年の11月4日と5日に、安政東海地震と、安政南海地震のふたつの大地震（安政東南海地震）が連続して発生する。ともに南海トラフを震源とするが、安政東海地震のマグニチュードは8・7、駿河湾の西側から甲府盆地にかけては震度7に達し、被害は関東地方から近畿地方に及んだ。

とくに被害が大きかったのは沼津から伊勢湾岸沿いで、箱根など東海道筋の宿場町では、家屋が倒壊し火災も発生して壊滅状態となった。さらに津波も発生して房総（ぼうそう）半島から四国までを襲い、志摩半島では10メートルもの大津波になったという。死者は2000～3000人、倒壊家屋は3万棟にのぼったと推測されている。

そんな安政東海地震の翌日、今度は安政南海地震が発生する。こちらのマグニチュードは8・4で最大震度は6となった。中部地方から九州地方まで幅広く被害を与えたが、東海地震から32時間後という短い間隔で発生したため、近畿地方ではどちらの地震によるものか区別できない被害が続いた。紀伊（いまの和歌山県）では津波で8500棟が流され、土佐では3000棟が全壊、3500棟が流されたという。

この地震で、紀伊の豪農だった濱口儀兵衛（はまぐちぎへえ）は、収穫したばかりの稲わらに火

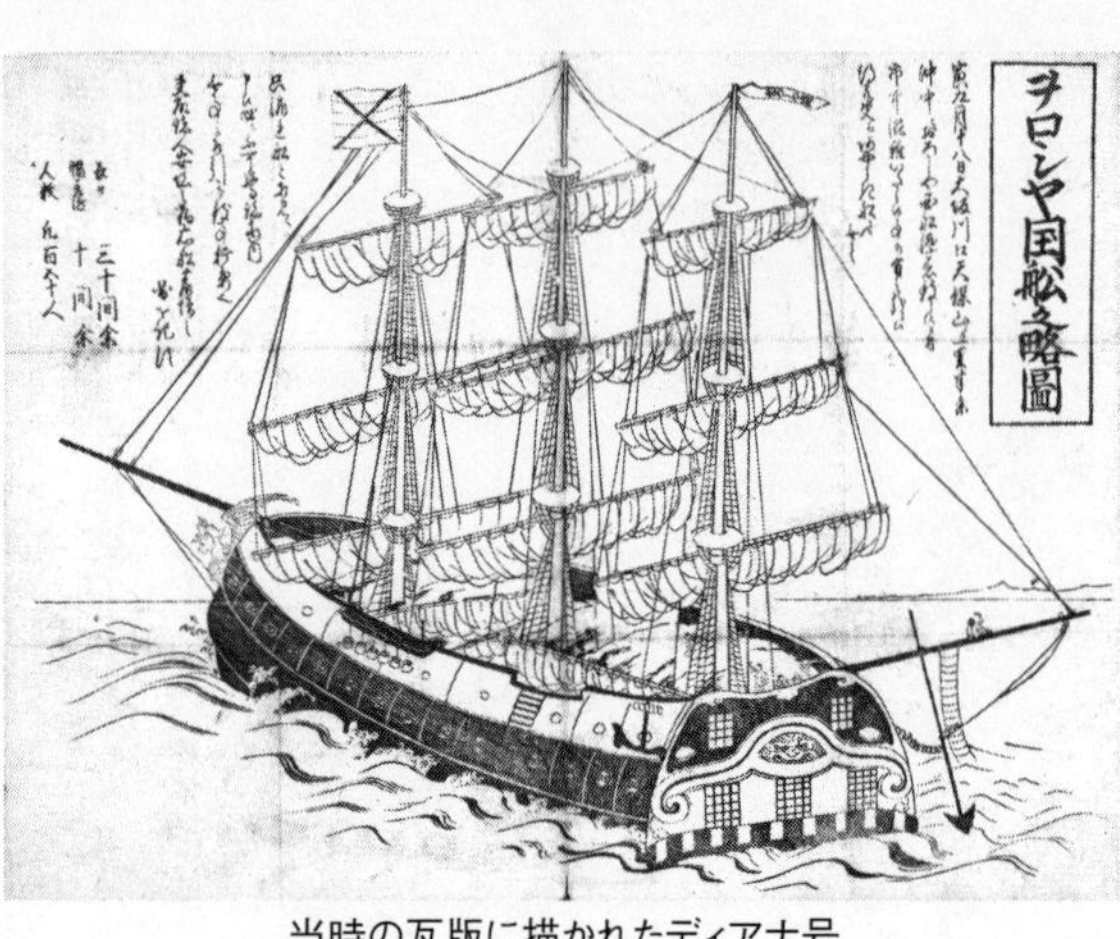

当時の瓦版に描かれたディアナ号

をつけ、村人に津波の襲来を知らせたという。

この逸話は、のちに小泉八雲（やくも）の「稲むらの火」の物語となり、戦時中の小学校教科書に掲載された。

●ディアナ号の遭難で新船建造

これら連続した地震と黒船来航による開港から、この年に嘉永から安政への改元がおこなわれた。地震の名に安政が冠されるのはそのためである。

この地震で、下田に停泊していたロシアの軍艦ディアナ号も被害を受ける。プチャーチンの乗艦であったディアナ号は、津波による浸水で船が何度も回転して大破する。最終的には、戸田(へだ)港での修理のため日本の小舟100艘で曳航(えいこう)するも、途中で沈没してしまった。

そこで、幕府が新たな船を建造することになり、全国の船大工や職人が集められた。そして3か月後、日本初の西洋式帆船が完成。プチャーチンはこの帆船に「戸田号」と名づけ、日本の協力に感謝しながらロシアに帰還していった。

一方で日本は、この一件で西洋の造船技術を習得することができた。翌年には長崎に海軍伝習所が設けられ、さらに4年後には江戸でも軍艦操練所が開設(前身の軍艦教授所の創設は1857年)された。日本の近代造船技術の基礎は、まさに地震によって固まったのである。

幕末の水戸藩迷走を招いた安政江戸地震

時代：1855（安政2）年
場所：江戸

大地震で攘夷派の要人を失った水戸藩のその後

幕末の混乱に拍車をかけた安政東海地震と安政南海地震。安政への改元は、災害による混乱を鎮めるためのものだったが、それから11か月後、今度は江戸を直下型地震が襲う。

1855（安政2）年10月2日の午後10時ごろ、江戸でマグニチュード7クラスの地震が発生した。この地震は先の地震にくらべると規模は小さいが、都市直下型地震であり、人口密集地である江戸で起こったことから未曽有（みぞう）の大災害となったのである。

安政2年の大地震(国立国会図書館所蔵)

安政江戸地震は、現在の江東区(こうとうく)あたりの江戸湾北部が震源と考えられる。震度は5から6程度と考えられるが、あくまでも推測である。揺れの幅にはそれぞれの地域の地盤によって差があり、震源地の東側は小さく、西側に広がっている。つまり現在の山の手は小さく、下町ほど大きく揺れる傾向があった。

震源に近い本所(ほんじょ)、深川、浅草は、そもそも低地の埋立地であったことから被害が大きく、倒壊した家が1万4000棟にもなった。一方で、日本橋や神田はそれほどの被害はなく、土蔵の壁が崩れた程度だった。被害の範囲が限定的なのは、都市直下型地震の特徴でもある。しかし、それでも1万人以上の死者が出ることとなった。

もっとも多くの人命を奪ったのは、倒壊した建物の下敷きになっての圧死、そして派生した火災による焼死である。

●吉原では1000人以上が火災で死亡

なかでも甚大な被害を出したのが吉原（よしわら）だった。犠牲者の10分の1にあたる1000人以上が吉原で被害に遭い、死んだ。

吉原は、幕府の公認を受けた遊郭街である。最初は日本橋の人形町（にんぎょうちょう）付近にあったが、江戸三大大火に数えられる、1657（明暦3）年の明暦の大火以降、浅草寺の裏手に移転していた。

もともと弱い地盤の上にあったが、吉原では遊女の脱走を防止するため、周囲を「おはぐろどぶ」という堀で囲い、出入り口は大門の一か所しかなかった。緊急避難用の反り（そ）橋もあるにはあったのだが、長年使用されておらず、地震発生時に機能しなかった。

地震が起こった夜10時は、吉原がもっとも活気づく時間帯であり、倒壊し、出火した郭から逃げ出した人々が大門に殺到した。しかし、パニックに陥った状況で逃げ出せたのはごくわずかだった。遊女も客も、火の海となった吉原のなかで命を落とすこととなったのだ。

●水戸藩を襲った悲劇

安政江戸地震は、被害の軽微な場所もあったため、庶民から武士まで、被災を免れた人々による詳細な記録が多数残されている。当時の町奉行だった井戸対馬守の調査記録によれば、火災で焼失した面積は、1・5平方キロメートル（2・2平方キロとも）。これは、現在の東京ドームの32倍の面積にあたる。

そして、現在の東京ドーム近辺にあったのが、徳川御三家のひとつ水戸徳川家の上屋敷だ。もともと、東京ドームの前身である後楽園球場や現在も残る後楽園ホールの名は、この水戸藩上屋敷にあった小石川後楽園が由来である。

地震発生により、この上屋敷も被害を受け、死者46人、負傷者は84人にのぼった。当時の前藩主の徳川斉昭と、藩主の慶篤は後楽園に逃れて無事だった。

しかし、執政である戸田蓬軒と、側用人の藤田東湖が犠牲となった。

水戸藩は、2代藩主徳川光圀以来、尊王攘夷の気風が強く、水戸学という学派が生まれていた。藤田東湖は水戸学の重鎮であり、斉昭の腹心であると同時に、藩士にとっても大きな存在であった。

地震の折には、母を連れていったん避難したが、火鉢の火を消し忘れたと母が戻ろうとしたため東湖も引き返したところ、崩れた天井の下敷きになって絶命したという。

戸田蓬軒も、東湖とともに「水戸の両田」と呼ばれた重鎮である。まさに両腕を奪われた形の斉昭は、攘夷派の急先鋒であったが、幕府内でみるみる影響力を低下させた。藩論も保守派と開国派に2分され、一橋家に養子に出した息子の慶喜を次期将軍候補にと画策するも、敗れて失脚する。

●その後も続く幕末の混乱と安政の大地震

地震の後、町奉行が炊き出しをおこなうなど被災者救済にあたった。そして

そのころ、徳川幕府では譜代筆頭の井伊直弼が大老に就任し、アメリカの大使

として来日したタウンゼント・ハリスとのあいだで、日米修好通商条約を結ぶ。
これに反発の声が上がると、井伊直弼は、安政の大獄と呼ばれる大粛清で対処した。この粛清は、一橋慶喜など水戸藩の一派にも及び、1860（万延元）年3月3日、水戸脱藩浪士たちが井伊直弼を暗殺する、桜田門外の変へと発展する。

その後、本来は尊王攘夷の志の強かった水戸藩は、徳川慶喜が15代将軍に就任したことに伴い、藩論が固まらないまま尊王攘夷派と戦うことになるのだ。

このように安政江戸地震は、水戸藩の行く末を大きく変えることになったと同時に、幕末の方向性を左右する大きな転換期にもなった。

この地震と安政東南海地震と合わせ、安政の大地震と総称されることもある。ただ、大地震はそれで終わりではなく、青森から島根まで安政年間には地震が多発した。日本は討幕運動から明治維新へと激動の時代を迎えるが、地震によっても大きく揺れていたのである。

世界初の地震学会設立の呼び水となった横浜地震

時代：1880（明治13）年
場所：横浜

来日した英国人地質学者が日本で地震研究機関を立ち上げた理由

1868（明治元）年、明治維新によって265年間続いた江戸徳川幕府は瓦解し、明治新政府が誕生する。しかし元号が明治に改まった後も、旧幕府軍の抵抗勢力との戊辰戦争や、維新の功労者であった西郷隆盛による西南戦争など内戦が続くことになった。

それらの混乱がじょじょに落ち着き、統治体制がほぼ固まってくるには、維新から10年後の1878（明治11）年まで待たなければならない。ちょうどその時期に、歴史的に見て特筆するほど大きいとはいえない地震が横浜で起こっている。ところが、この横浜地震が、日本の歴史に名を刻むこととなる。

●お雇い外国人を驚愕させた地震

尊王攘夷思想により倒幕を果たした維新政府だが、西洋を視察した新政府の重鎮たちは、西洋列強の技術力と軍事力を目の当たりにすることになった。そこで新政府は、欧米諸国の技術や文化を積極的に取り入れる方針に転換した。諸外国から優秀な学者や技術者を高給で招聘し、殖産興業と富国強兵を推し進めようとしたのだ。

日本を訪れた彼らは「お雇い外国人」と呼ばれ、海外の技術を伝えるとともに海外の生活習慣や文化も伝えた。それに伴い、ちょんまげや和服などの日本独特のスタイルも、急速に洋式へと改められていく。

そんな外国人たちの拠点となったのが、海外との新たな玄関口となった横浜だった。江戸時代までは人口100人程度の寒村だった横浜は、各国の領事館が置かれたことで急速に発展し、レンガ造りのモダンな建物が並ぶ最先端都市となった。

その横浜で、1880（明治13）年2月22日深夜に地震が発生する。この横浜地震は、マグニチュードは5・5から6・0と推定される。横浜では煙突の倒壊が相次ぎ、家屋の壁が倒壊するなどの被害が出ている。

一方で江戸から改称した東京ではほとんど被害がなかった。過去に何度も大地震を経験し、また安政の大地震の記憶も薄れていない当時の日本人にとっては、横浜地震はさほど記憶に残るような地震でもなかったようだ。

しかし、ほとんど地震のない国で育った外国人にとっては、はじめての地震体験となり、大きな衝撃だった。当時、工部大学校（現在の東京大学工学部）で教師を務めていたイギリス人のジョン・ミルンも、この地震に衝撃を受けたひとりだ。

ミルンは鉱山技師、また地質学者でもあり、26歳の若さで来日した気鋭の研究者だった。活火山の多い日本の地層にも興味をもっていたが、地震の被害状況なども総括されない日本の現状に、地震を科学的に調査し、研究する必要性を痛感する。

そこで、同じお雇い外国人であった物理学者のジェームズ・ユーイングや、電信工学の専門家トーマス・グレーらと地震学会を設立した。

地震学会の初代会長となったのは、東京大学の幹事を務めていた服部一三（はっとりいちぞう）で、

ミルン、ユーイング、グレーによる地震計（東京大学地震研究所所蔵）

ミルンは副会長となった。当初の会員数は117人であり、そのうちお雇い外国人が80人にのぼった。

地震の多発する日本で生まれた地震学会は、世界初の地震研究機関となり、地震学という学問も生まれた。横浜地震は、世界ではじめて地震研究がおこなわれる契機となったという意味で、大きな存在感をもつ地震なのである。

●ミルンが去った後の地震研究

ミルン、ユーイング、グレーの3人は、協力して近代的な地震計を開発し、ようやく地震の大きさを数字で測れるようになった。その後、ユーイングやグレーは帰国したが、ミルンはそのまま日本に残り、1891（明治24）年の濃尾地震の調査にも出向いた。その研究熱心さから「地震ミルン」とも呼ばれている。

ただ、1892（明治25）年には、新たに発足した震災予防調査会に研究を引き継ぎ、地震学会は解散となる。

さらに3年後、ミルンの自宅が火災で全焼し、集めた資料もすべて燃えてしまった。これを機に、ミルンも日本で結婚した妻のトネを連れてイギリスに帰国していった。

その後、ミルンの研究はユーイングの助手であった関谷清景が受け継ぎ、東京大学初の地震学の教授となっている。学会は関東大震災後の1929（昭和4）年に復活し、現在は日本地震学会と改称、その会員数は2000人を超え、いまも日夜地震研究を進めている。

大正デモクラシーを終焉に導いた関東大震災

時代：1923（大正12）年
場所：関東地方

自由を謳歌する時代の空気はなぜ震災によって失われたのか

大正の終わりに、東京・横浜の下町が、一面の焼け野原となる大地震が起こっている。時代の大きな流れに楔（くさび）を打ち込んだこの地震の、前後の世相を見ていくことにする。

明治時代の富国強兵策によって、日本は急速な近代化と軍備拡張を成し遂げた。そして日清戦争と日露戦争に勝利し、朝鮮半島を支配下に置くなど、アジアのなかで唯一西欧列強と肩を並べる存在となる。

さらに大正時代に入ると、1914（大正3）年から始まった第一次世界大戦では、日英同盟に基づき連合国の一員としてドイツなど中央同盟国と戦った。

この大戦は１９１８（大正７）年に終結し、戦勝国側となった日本は中国での権益を拡大し、満州やロシアへの進出も視野に入れた。

しかし、国内は度重なる海外への派兵による徴兵と物資欠乏により、隠忍の生活を強いられていた。そんななか、第一次大戦終結の直前に米の急騰に反発した女性たちによる、米騒動が全国に拡大した。

この騒動の影響で寺内正毅総理大臣は辞任に追い込まれ、次の総理大臣となったのは、爵位をもたず明治以来政治の中枢にあった薩長閥でもない、衆議院議員出身の原敬だった。

●大正デモクラシーの時代が始まる

この原敬の総理大臣就任により、日本ではじめての本格的な政党内閣が誕生し、原敬は「平民宰相」と呼ばれて国民から大きな人気を得た。とはいえ、日本の政党政治への移行はそれ以前の明治末期から進められていた。犬養毅や尾崎行雄らによる第一次護憲運動、また美濃部達吉による天皇機関説（天皇を国の主権者ではなく、統治の最高機関とする説）が支持され、桂太郎や山本権兵衛など総理大臣が短期間で交代している。

このころ東京帝国大学の吉野作造は、法的な主権を問わず、国の政治は民のためにおこなわれるべきという民本主義を提唱した。この民本主義が、民主主義を意味するデモクラシーと解釈され、日本における民主主義の原点となる。

折しも世界では、辛亥（しんがい）革命、ドイツ革命、ロシア革命などが続き、日本でも市民運動が活発化した。労働組合や農民組合などが結成され、また女性解放運動や部落差別解放運動なども盛んになり、人々は街に出てはデモ行進し、公園に集まっては声高（こわだか）に自分たちの権利を主張した。

このような運動が活発化した風潮を、大正デモクラシーという。ただ、大正デモクラシーは政治運動にとどまるものではなく、大正時代に定着した西洋の文化、流行、社会風俗など、すべてを総称した意味でも使われる。

アジア唯一の大国となった日本は、急速に世界との距離を縮めて、ますます西洋化が進んだ。洋服が普及し、喫茶店やレストランが急増し、カレーライス、とんかつ、コロッケが大正の三大洋食として定着した。チョコレートやキャラメル、アイスクリームなどの洋菓子が登場するのもこのころだ。

街には電灯がつき、活動写真や録音、印刷技術なども発展を遂げた。芥川龍之介や谷崎潤一郎、武者小路実篤など多様な文学が生まれ、1921（大正10）年に刊行された『種蒔く人』は、日本のプロレタリア文学の萌芽となった。

●お昼時に起こった大地震の猛威

日本が大正デモクラシー一色に染まっていた1923（大正12）年9月1日、午前11時58分、中央気象台や東京帝国大学地震学教室の地震計がいっせいに揺れ始め、十数秒後には針が飛ぶ。関東大震災の始まりだった。

のちに地震学会会長となる今村明恒東大助教授は、自分の心臓の鼓動をもとに初期微動継続時間を12秒と計測し、震源地までの距離を約100キロメートルと推定した。

震源地は相模湾の沖合、まさに東京から100キロメートル程度の距離だった。相模トラフのプレート運動によって発生したと考えられ、地震の大きさはマグニチュード7・9とされる。ただ、マグニチュード8クラスだったという説もある。

東京を中心に千葉、神奈川、山梨、埼玉などが震度6となり、相模湾岸や房総半島沿岸部では、震度7ともいわれる。揺れは1度ではなく、直後の12時1分と12時3分にも強い余震が発生した。それこそ北海道から九州まで、日本全国で震動が感じられた大地震であった。

●火災により被害が拡大

この地震は、関東大震災という呼び方が一般的だが、厳密には地震そのものの名称は関東大地震であり、大震災とは地震によって引き起こされた災害全体を意味する。これは以後の阪神・淡路大震災や東日本大震災も同様で、地震自体の名称は別にある。

当時、浅草のシンボルとなっていた凌雲閣（りょううんかく）は、「浅草十二階」という別名の通り、12階建ての建築物だが、その8階から最上階の12階展望台までが崩落し12人が即死した。また丸の内に建設中だった内外ビルディングでは、崩れた天井や柱の下敷きとなり、現場作業員100人以上が死亡した。さらに三田（みた）の日本電気会社はコンクリート3階建てだったが、やはり倒壊して100人以上が圧死した。

被害は東京だけではない。横浜のグランドホテルでは、従業員200人のうち生き残ったのはわずか8人で、レンガ造りのモダンな街並みも消滅してしまった。

このように地震による直接的な被害も甚大だったが、関東大震災で被害をより拡大させたのは火災だった。地震発生時がちょうど昼食の準備をしている時間であったため、調理の火が燃え移って火災となったのだ。しかも、前日から日本海沿岸を台風が通過した影響で、関東地方は午前中には雨がやみ風が強く蒸し暑い天気となっていた。

都内での火災は136棟にのぼったとされるが、風にあおられて炎は拡大し、地盤が弱く木造家屋が密集した下町は文字通り火の海となった。人々は揺れる地面の上を右往左往しながら逃げ惑い、火炎から逃れるために広い場所を求めて避難した。選ばれたのは学校の庭や神社、駅の周辺などである。

本所（墨田区）にあった陸軍本所被服廠跡地は、2万数百坪の広大な空き地となっており、3万8000人ほどが、家財道具を抱えて避難していた。ところが、その場所に火炎旋風が巻き起こり、避難民を焼き尽くしてしまった。このとき、火炎旋風が起こったメカニズムは解明されていないが、火炎旋風自体は、広範囲の火災で熱せられた空気が竜巻となって襲いかかる現象である。

その他の地域でも、避難した河原や小学校に炎が襲いかかった。隅田川にかかる永代橋(えいたいばし)では、橋の中央に集まった人の荷物に川の両岸の火が燃え移り、橋ごと落下した。

浅草の田中小学校では、1000人が逃げ場を失ったまま焼死している。このように東京全体に広まった火災が鎮火したのは、ようやく3日後のことであった。

関東大震災の犠牲者は約10万5000人あまりにのぼるが、その大半にあたる9万2000人は火災による焼死と考えられる。そのほか、建物の倒壊による圧死が1万1000人、津波や土砂崩れによる犠牲者が1000人近くとなった。建物被害は、地震による全壊が10万9000棟、火災による全焼が21万2000棟。東京の半分近くが壊滅状態となった。

また、震災直後に「朝鮮人が井戸に毒を入れた」という流言飛語が出回り、市民の自警団や官憲による朝鮮人狩りがおこなわれた。社会主義者を弾圧した亀戸事件、無政府主義者の大杉栄を暗殺した甘粕事件なども、混乱のさなかに起こっている。

●自由の時代から閉塞感の時代へ

未曽有の大災害に際して、日本政府の対応は遅れた。冒頭にふれた原敬は震災の2年前に暗殺されており、その後、政権はめまぐるしく変転した。

震災発生の8日前に加藤友三郎総理が急死していたのも、日本にとって不幸が重なった。震災翌日には山本権兵衛が総理に再任、第二次山本内閣は帝都復興院を設置して、内務大臣の後藤新平がその長官となった。

後藤はアメリカの歴史学者チャールズ・ビアードの提言を受け、被災地をいったん国が買い取り、新たな都市につくり変えようと計画。国家予算の2倍にあたる30億円の復興費用を要求した。

しかし、後藤の予算請求は、現実の経済状態と政党内の対立で実現せず、実際に承認されたのは4億数千万円あまりだった。さらに同年の12月には皇太子

（のちの昭和天皇）暗殺未遂事件が発生し、山本内閣は総辞職に追い込まれてしまう。

後藤の復興計画は部下が受け継ぎ、少ない予算のなかから、今日の昭和通りや靖国通り、明治通りなどの幹線道路が拡充された。また、墨田、浜町、錦糸町に、避難所として使える公園が整備された。さらに、地震の被害が軽微だった新宿や渋谷などが繁華街となり、当時開発されたばかりで被害のなかった田園調布が、郊外の一等地として高級住宅街となっていく。

このように震災復興は進んだものの、日本全体の景気は悪化の一途をたどる。その結果として増加した不渡りの手形は、日銀が割り引き決済して、損失を政府が肩代わりしたが（震災手形）、これがのちの恐慌の一因となっていく。

こうして大正デモクラシーの自由な雰囲気は消え、経済の閉塞感は社会の閉塞感を生んだ。そして日本は、傾く経済を一気に挽回するため、大陸進出と新たな対外戦争という暴挙に進んでいくのである。

富国強兵と軍国主義が蔓延させた結核

時代：明治時代〜1945（昭和20）年
場所：日本全国

数々の要人の命を奪った結核が、日本の歴史を変えた？

明治以降の近代化により、日本には多くの先進技術や西欧文化がもたらされたが、同時に入ってきたのが伝染病である。日本では、前述のとおり奈良時代に天然痘（てんねんとう）が流行するなど、これまで疫病の流行もたびたびあった。しかし、17〜19世紀の江戸時代には外国との接点は限定されていたため、ウイルスや細菌が持ち込まれても、各地の関所でせき止めることができたのだ。

それが、日米修好通商条約が結ばれた1858（安政5）年には、インドから世界中に伝播（でんぱ）したコレラが日本にも上陸し、江戸で3万人もの死者を出した。死に至るまでの早さから、コレラは「虎狼痢（コロリ）」などと呼ばれて恐れられた。以降、ペスト、腸チフス、スペイン風邪（インフルエンザ）など、感染症が次々と持ち込まれては流行していく。なかでも猛威をふるったのが、結核だった。

結核は、結核菌によって引き起こされる感染症で、古代イスラエルの人骨からも痕跡が発見されたことがあるほど歴史の古い感染症だ。日本にも弥生時代から存在し、かつては労咳（ろうがい）と呼ばれていた。それが明治以降には患者が急増し、国民病と呼ばれるまでになる。

●産業革命から始まる結核の大流行

そもそも日本が憧れた西洋の技術力は、18世紀のイギリスで始まった産業革命がきっかけである。そして結核の流行は、産業革命と無縁ではなかった。

工業化が進み、蒸気機関に必要な石炭の採掘が進められるに従い、都市には人が集まり、労働者は長時間労働を強いられることになった。都市部は工場の煙と市中に散らばるゴミや汚物で異臭を放ち、劣悪な環境下で労働者は肩を寄せ合って暮らしていた。

こうして結核菌の繁殖する条件が見事に整い、産業革命下のロンドンで結核が大流行することになったのである。

これと同じことが、日本でも起こった。明治以降の日本は、殖産興業と富国強兵をスローガンに急速に工業化を推し進める。

なかでも日本が主力産業と位置づけたのが、養蚕（ようさん）による絹の生産と、綿花を原料とする紡績業だった。そんな背景から、世界遺産にもなった官営の富岡製糸場など、国内にはいくつもの官営製糸工場が建てられた。同時に紡績業も急成長し、東洋紡、鐘紡（かねぼう）、ユニチカなどが生まれた。やがて紡績会社は海外に進出し、総合商社化していく。

製糸工場や紡績工場で働くのは、おもに農村から集められた若い女性たちだった。彼女たちは昼夜2交代の労働を強いられ、密集した寄宿舎に押し込められるという過酷な労働環境のなか、次々と結核に倒れていった。

1910（明治43）年におこなわれた調査では、全国の女子工員が約50万人。このうち村落からの出稼ぎ者は毎年20万人いたが、その大半が2年以内に結核に罹（かか）っていた。

紡績従事者の結核死亡率は一般の5倍以上で、結核に感染した女子工員は解

わが国の結核感染者の死亡者数

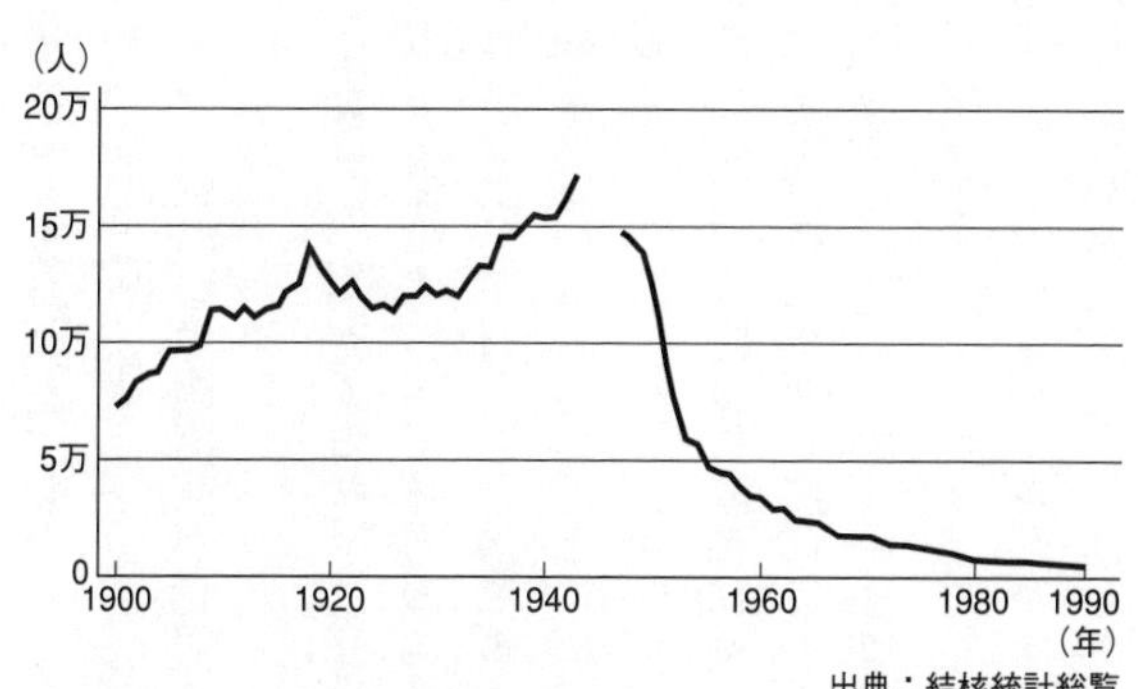

出典：結核統計総覧

雇されて故郷に戻るが、そこで家族や村民に感染させることにもなった。

女子工員たちに結核患者が増えたのは、織機に使用する杼が原因のひとつである。杼はシャトルとも呼ばれ、布を織るときに縦糸と横糸を重ねるのに使用する。この杼を飛ばす際に女子工員たちは口に含み、それを使い回していたため、感染が拡大したとされる。

現在は自動車メーカーとして有名なトヨタの創始者である豊田佐吉は、杼を機械で飛ばす自動織機を発明し、結核予防に貢献した。

その後、1915（大正4）年には工場法が施行され、1919年には結核予防法もつくられた。しかし、女子工員たちの労働環境は改善されたとはいい難い。1925(大正14)年に細井和喜蔵が記した『女工哀史』では、女子工員たちの過酷な労働実態が克明に描かれている。

●兵士たちのあいだでも結核が蔓延

一方、女性にくらべて体力のある男性の結核患者は、明治期までは少なかった。しかし女子工員たちと同じように、集団生活が基本となる軍隊で大流行する。兵士の感染は戦力の低下に直結するため、徴兵検査では徹底した結核検査が実施された。厳しい徴兵制度がとられたなかでも、結核の疑いがあれば入隊が見送られた。入隊後に結核に罹ると、すぐに退役させられて故郷に帰らされた。そして故郷に結核を広げていくのは、女子工員たちと同じである。

悲劇はさらに続く。第一次世界大戦末期の1918(大正7)年、世界中でスペイン風邪(インフルエンザ)が大流行した。参戦していた日本も兵士から国内に感染し、それが軍隊内や学校を中心に広まり、なんと国民の半数近くが感染して約38万人が死亡したとされる。このスペイン風邪の流行は、咳の多い結核の発病も促し、結核の死亡者もこの年が過去最多となっている。

明治時代には国民の死因の2位となっていた結核は、大正から昭和にかけては一時、3位に落ちるが、これは結核が終息したわけではなく、ほかの病気での死者が急増したためともいえる。

第一次世界大戦の後は、結核患者も緩やかに減少傾向にあったが、1930年代に入ると、再び増え始める。この流行にも1931（昭和6）年の満州事変から始まる、日本の軍国化が大きく影響している。

このころ日本の主産業は重工業が中心となり、働き手である男性の結核患者数が上昇した。また軍備の増強により多くの男性が徴兵されたことで、検査をすり抜けた保菌者が、軍隊内で結核を流行させたのだ。

そして昭和10年以降、結核は死因の1位を独走するようになり、国民病からさらに恐怖心を高める亡国病とまで呼ばれるようになった。

満州事変から太平洋戦争終結までの15年間で急増した結核患者は、戦争がなかった場合より45万人も多かったというシミュレーション結果がある。第二次世界大戦中には、兵士と市民合わせて200万人近い死者が出たが、国民の死亡原因の14パーセントは、結核によるものだったと推定されているのだ。

●結核に倒れた歴史上の偉人たち

長きにわたって死病と恐れられた結核は、幕末以降の歴史を彩った偉人たちにも容赦なく襲いかかり、日本の歴史を変えていった。最後に、その例をいくつかご紹介しよう。

幕末の志士であった高杉晋作(しんさく)は長州藩を尊王攘夷(そんのうじょうい)派に導き、奇兵隊(きへいたい)を組織して倒幕に立ち上がるも、結核により27歳の若さで死去した。高杉の盟友であった桂小五郎は維新後は木戸孝允(たかよし)を名乗り、大久保利通(としみち)や西郷隆盛と並ぶ明治新政府の重鎮となる。その後、西郷隆盛が起こした西南戦争中にがんで亡くなったが、同時に結核をも患(わずら)っていたという。

また、坂本龍馬が結成した海援隊に加わり、維新後は外務大臣として外国との不平等条約撤廃に活躍した陸奥宗光(むつむねみつ)も結核で亡くなっている。これらの人物は、そのうちのひとりでもより長く生きていれば歴史がかなり変わっていたのではないかと思える偉人ばかりである。

また、新撰組の一番隊隊長を務めていた沖田総司が結核に罹っていたこともよく知られている。芝居やドラマでは、池田屋事件の折に少数で斬り込み、途中で喀血するシーンがよく挿入されるが、実際には昏倒しただけらしい。その沖田も、新撰組の最期を見届けることなく静養先で亡くなっている。

明治時代には、多くの文人が結核により命を落とした。俳人の正岡子規の「子規」という俳号はホトトギスという意味で、血を吐くまで鳴くホトトギスと、結核による喀血を繰り返す自分を重ねたものだ。

また現在の5000円紙幣の肖像となっている樋口一葉は、わずか1年あまりの作家活動ですぐれた名作を次々と生み出したが、やはり結核により24歳で亡くなった。『荒城の月』などで有名な作曲家の滝廉太郎は、留学先のドイツで罹患して23歳の若さで死去したが、結核への偏見から譜面の多くが焼き捨てられてしまった。

そのほか、画家の竹久夢二や詩人の中原中也らも結核で命を落としている。文豪として名高い森鷗外は、自身が結核であることを隠して軍医として日露戦争などに従軍した。

●終戦とともに終息した結核

1945（昭和20）年8月15日、日本はポツダム宣言を受諾して、ようやく終戦を迎えた。じつはその前年には、アメリカで結核に有効な抗生物質ストレプトマイシンが発見されている。しかし、敵国であったアメリカからの輸入量は少なく、教師の月給が300円の時代に、ヤミ市では5000円もの高値で取引されていたという。日本は敗戦国となったが、その後のアメリカ統治下での結核対策や、何より過酷な重労働や兵役から解放されたことで、ようやく結核患者は減少していく。

1949（昭和24）年には、ストレプトマイシンの国内生産が決定し、現在の理化学研究所の前身である科学研究所が生産にあたった。こうして200万人以上もいた結核患者は、1950年代には急速にその数を減らしていった。もっとも、結核は完全に根絶されたわけではない。日本では2018（平成30）年にも約2000人が結核で死亡しており、世界では現在も流行している地域がある。

日本の防災対策の転機となった伊勢湾台風

時代：1959（昭和34）年
場所：伊勢湾をはじめ全国各地

高度成長期の日本を襲った最大級の台風の影響とは

第二次世界大戦終結後、日本は連合国軍最高司令官総司令部（GHQ）の占領下に入り、戦時体制はすべて解体された。

終戦の翌年には新たな日本国憲法が公布され、焼け野原となった東京を中心に復興が進められる。そして、サンフランシスコ講和条約の締結後、1952（昭和27）年には晴れて主権を回復した。

1956（昭和31）年に発行された経済白書には、「もはや戦後ではない」と記されている。終戦から10年が過ぎ、敗戦国としての意識から脱却し、経済再生に目を向けようとしたメッセージが窺（うかが）える。

実際に、１９５０（昭和25）年からの朝鮮戦争により、連合国軍の後方基地となった日本は、大量の補給物資を供給するための戦争特需を生んだ。さらに昭和30年代には、神武（じんむ）景気と呼ばれる高度経済成長時代に突入する。好景気による所得の増加で、戦前にも増して近代化が促進され、衣食住への消費量が拡大する。１９５０年代後半になると、白黒テレビ、洗濯機、冷蔵庫の家電３品目が「三種の神器」と呼ばれ、庶民の生活スタイルに変化を促した。１９５９（昭和34）年４月には東海道新幹線が着工し、５月には１９６４（昭和39）年に東京オリンピックが開催されることが決定した。まさに敗戦のショックから立ち直るニュースにあふれていた時期といえる。

しかし、そんな勢いに思い切り冷や水を浴びせたのが、戦後最大の台風被害をもたらした伊勢湾台風である。

●20世紀最大の伊勢湾台風

昭和期には、犠牲者３０００人以上の大型台風が３度襲来している。昭和の３大台風と呼ばれるこれらの台風は、１９３４（昭和９）年の室戸（むろと）台風、１９

45（昭和20）年の終戦直後の枕崎（まくらざき）台風、そして1959年9月26日の伊勢湾台風である。

伊勢湾台風（国際名は「ベラ台風」）は、太平洋マーシャル沖で発生し、中心気圧が最盛時には895ヘクトパスカル以上という驚異的な台風だった。その後も900ヘクトパスカル以上の勢力を保ったまま北上、26日の午後6時過ぎに和歌山県の潮岬（しおのみさき）に上陸する。上陸時の気圧は929ヘクトパスカルで観測史上最大。最大風速は秒速60メートル、暴風域は半径300キロという超大型台風であった。

伊勢湾台風の進路

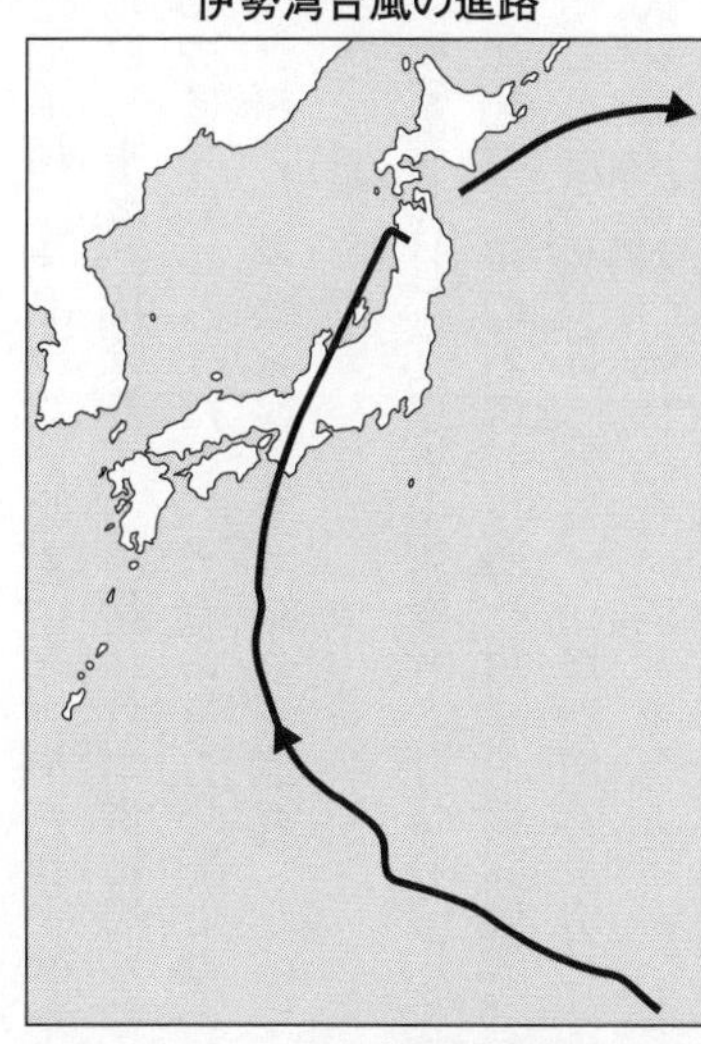

参考：伊勢湾台風復旧工事誌

上陸後も勢力の衰えない台風は、午後8時には奈良県と三重県の県境を通過する。平均時速65キロで北東に進路をとり、岐阜県の中央部を縦断すると夜半過ぎに日本海へ抜けた。その後、日本海に沿って北上し、翌日の朝には秋田県沖に抜けていった。ただ、青森県東方で新たな台風中心部が発生するという珍しいジャンプ現象を起こす。完全に消滅したのは10月2日のことだ。

●死者5000人以上の大被害

伊勢湾台風の名は、伊勢湾沿岸の愛知県、三重県での被害がもっとも多かったことから名づけられた。台風と関連災害による死者・行方不明者は5098人を数えるが、全犠牲者の83パーセントが、愛知県と三重県に集中している。

伊勢湾周辺の被害を拡大させたのは、高潮である。高潮は、気圧の低下による海水の吸い上げと、強風による海岸への吹き寄せによって発生する。伊勢湾を襲った高潮は、それまでの最高潮位を1メートルも上回る3・55メートルで、これが堤防を破壊して市街地に流れ込んだのである。

また当時、名古屋港は木材の集積地で大量の木材が貯木池に集められていた。この木材20万トン近くが、高潮とともに市街地に押し寄せて被害を拡大させた。

流出した木材による被害だけでも、１４００人以上の死者が出ている。

そもそも名古屋市南部は、16世紀からの干拓によって造成された海抜０メートル地帯である。場所によっては海面下の地域もあり、水没した地域から水が取り除かれるまで半年以上もの時間がかかった。

●気象観測技術の発展

急速な経済成長のなかで発生し、大きな被害をもたらした伊勢湾台風は、その後の日本の防災対策と技術革新にも大きな変化をもたらした。

まず、台風から2年後には災害対策基本法が制定され、災害時の対応をあらかじめ決めておくことが定められた。また民間では、電池式のトランジスタラジオが普及した。当時は電源の必要な真空管ラジオが主流だったが、災害時には電力が失われてテレビの受信もできなくなることから、電池式ラジオの重要度が高まったのである。

災害を未然に防ぐための方策も講じられた。東京をはじめとする各地の防波堤や堤防は、伊勢湾台風の大きさを基準に建設されるようになった。そして気象観測に必要な気象レーダーが、全国20か所に拡大された。

とりわけ富士山山頂に設置された富士山レーダーは、高い位置からの台風観測を可能にした。しかし、富士山レーダーでも対応できない地域があることから、より高度から広い地域を観測できる気象衛星の必要性が高まった。

こうして1977（昭和52）年、日本上空に静止し続けるはじめての気象衛星「ひまわり」が、アメリカのケネディ宇宙センターから打ち上げられた。台風が日本の宇宙開発の発展にまで繋（つな）がった瞬間である。

さらに2022年からは、最新の「ひまわり9号」が本稼働する予定である。現在も毎年のように台風被害は絶えないが、気象衛星によって、私たちはかなり詳細な事前情報を得られるようになったのである。

世界の原発政策に影響を与えた東日本大震災

時代：2011（平成23）年
場所：東北地方

エネルギー政策を議論するうえで忘れてはならない原発事故

1989年、昭和天皇の崩御（ほうぎょ）により、皇太子であった明仁（あきひと）親王が125代天皇に即位し、元号が平成に改められた。そして平成に入っても、日本は、いくつもの災害に見舞われることになった。

1995（平成7）年1月17日、阪神・淡路大震災が発生した。淡路島沖を震源とするマグニチュード7・3の兵庫県南部地震が、観測史上最高の最大震度7という巨大地震となって、関西に甚大な被害をもたらした。発生した時間が午前5時46分と、まだ寝ている人も多い時間帯で、多くの人がビルや家屋の倒壊に巻き込まれた。

橋脚上を走る高速道路の崩壊も多数見られ、直後からは各所で火災も発生する。消防庁の発表では、死者6343人、行方不明者3人、負傷者は4万3792人に達した。建物被害は全壊が10万4906棟、半壊が14万4274棟、火災での全焼は7036棟である。このとき、水道、電気、交通網などのインフラがストップしたことから、ライフラインという新語が生まれている。

この阪神・淡路大震災は、当時で戦後最大の自然災害となった。まさかその16年後に、それ以上の大災害が起こるとは誰も予想していなかっただろう。

●東日本を襲った大地震

阪神・淡路大震災の後、対応の遅れにより村山内閣は支持率を急落させ、翌年には退陣に追い込まれる。しかし国会・内閣はその間に災害対策基本法を改正させ、交通規制の条件や、緊急災害対策本部の権限強化などが盛り込まれた。

次の大地震の場所として予想されたのは関東であった。また、南海トラフ地震の危険性はつねに指摘されており、シミュレーションが重ねられていた。

ところが2011（平成23）年3月11日午後2時46分、東北地方を超巨大地震が襲う。東北地方太平洋沖地震と名づけられた地震の震源は、三陸沖の牡鹿半島東南東130キロメートル付近。当初はマグニチュード7・9とされたが、最終的にはマグニチュード9とされた。地震のエネルギーとしては関東大震災の60倍、阪神・淡路大震災の2000倍にもなる数字である。

また、阪神・淡路大震災を招いた兵庫県南部地震は、直下型地震で兵庫県を中心に被害を与えたが、海溝型の東北地方太平洋沖地震は、宮城県栗原市で震度7を観測したほか、東北全域から関東各地でも震度5以上を記録する、規模の大きなものだった。東京では公共交通機関がほぼストップし、帰宅困難者と呼ばれる人たちが通りに列をなした。さらに翌日未明には、長野県北部地震が発生し、混乱に拍車をかけた。

●大津波により被害が拡大

東日本大震災と呼ばれる大地震で被害を拡大させたのが、津波だった。地震発生から30分後、東北地方の太平洋岸を中心に大津波が襲った。福島県相馬市では9・3メートル、岩手県宮古市で8・5メートル、宮城県石巻市で7・6

メートルを観測した。しかし、観測地点が津波に呑まれた地域もあり、その後の調査では10メートル以上の津波痕跡が発見され、陸地を駆け上がる津波の高さを示す遡上高は40・5メートルにもなった。

震災での死者は1万５８８１人を数えるが、その90パーセント以上は津波によるものだ。そして、犠牲者の99パーセントは、宮城、岩手、福島の３県で占めている。阪神・淡路大震災での行方不明者３人に対し、行方不明者が２５２６人と多いのも、津波にさらわれて行方がわからなくなったためである。

また、その後の避難所での厳しい生活や、ストレスなどが原因となる震災関連死も、認定されただけで３７６７人となるが、実数はさらに多いだろうと考えられる。建物被害では、全壊が約13万棟、半壊が約27万棟となっている。

この大地震と津波被害により、東北地方を襲った大地震である、約６００年前の享徳地震、さらにその６００年前の貞観地震の存在がクローズアップされた。しかし６００年という時間は、災害の衝撃を忘れさせるには十分な時間だったのだろう。かつての地震で津波が押し寄せたとされる地域は、再開発され多くの人が暮らしていた。大津波への備えとしてスーパー堤防の建設も議論されたが、実現してはいなかったのである。

●原子力安全神話の崩壊

東日本大震災の被害は、地震と津波によるものだけではない。東京電力の福島第一原子力発電所から、大量の放射能が流出するという大事故に発展している。むしろ、この原発事故こそが震災の被害を長引かせる原因となった。この原発事故の経緯を確認してみよう。

まず、地震発生から約58分後、福島第一原発が遡上高(そじょうこう)14〜15メートルの津波に襲われて電源を消失した。それにより原子炉の冷却ができなくなり、炉心融解（メルトダウン）が発生し、翌日には水素爆発が起こる。このため、放射能汚染の危険性の高い地域の住民は全員が避難を余儀なくされ、避難民は47万人にまで拡大していた。これは、阪神・淡路大震災の1・5倍にあたる数である。

この原発事故は、1986（昭和61）年のチェルノブイリ原発事故に相当するレベルの事故であるとされた。もともと、世界で唯一原子爆弾により被爆した国である日本では、原子力発電に対する抵抗感は少なくなかった。それでも、二酸化炭素排出を抑えられるクリーンなエネルギーとして、政府は原子力発電を推進してきたのである。

ところが福島第一原発の事故により、原子力が安全だとする神話は一気に崩壊した。政府や東京電力の備えは大津波に対してまったく機能せず、さらに電源喪失時の対応マニュアルもなかったことが明らかになった。そうしたことから、地震と津波は自然災害だが、原発事故は人災という側面も間違いなくある。原子炉を冷却した処理水が太平洋に放出され、また電力供給がストップしたことで、国内では戦後以来となる計画停電が実施された。

その後、福島第一、第二原発の原子炉は廃炉が決定し、2021年、東京電力は廃炉作業終了の目標年度を2064年と発表している。放射能流出による福島県民と福島県産作物への差別と風評被害は、日本のみならず海外でも根強く残り、深い傷跡を残すことになった。

●欧米では縮小もアジアでは原発拡大

福島第一原発の事故を受けて、日本では脱原発論が高まった。その世論に押され、老朽化していた原発は次々と廃炉となり、稼働原子炉は54基から33基に減少した。

世界でも欧米諸国で脱原発の議論が活発化し、ドイツは2022年での原発ゼロを目指し、二酸化炭素を排出しない再生可能エネルギーを利用した発電に舵をきった。また最大の原発保有国だったフランスでも縮小された。

しかし、ロシアや中国、インドなどは経済発展を優先させてむしろ原発を増やしている。日本でも、代替エネルギーの開発はあまり進んでおらず、原発を再稼働する方向でつねに議論が進められる。

だが、2021年現在、名古屋市の面積と同規模の帰宅困難地域が存在し、故郷に帰れない被災者が4万人以上もいることを忘れてはならない。東日本大震災は、発生から10年過ぎても、まだ終わっていないのである。

さいごに

ここまで、歴史に残るさまざまな天変地異と、それによる歴史への知られざる影響を紹介し、解説してきた。そして、本書を刊行した2021年時点で、世界は歴史に残る大災害に見舞われている。いうまでもなく、新型コロナウイルス（COVID-19）のパンデミックである。

医学が発達した現代に、これほど大規模な災厄が起こるとは、いったい誰が想像しただろうか。

「感染症の教科書を閉じ、疫病に対する闘いに勝利したと宣言するときがきた」――これは、1969年のアメリカ議会公聴会における、当時のアメリカ公衆衛生局長官だったウィリアム・スチュワートによる発言だ。

これまでの人類の歴史は、そのまま感染症との闘いの歴史であり、同時にそれは、すべて人類側の敗北の歴史であった。

14世紀にはヨーロッパでペストが大流行し、ヨーロッパ総人口の約3分の1が死亡。16世紀にはスペイン人が持ち込んだ天然痘が南北アメリカ大陸で猛威をふるい、免疫をもたない先住民の人口は大幅に減少した。20世紀初頭にはスペイン風邪が世界中に広まり、約1億人がこの病に倒れている。

だが、1928年に世界ではじめて抗生物質のペニシリンが発明されて以降、感染症の治療薬として、さまざまな抗生物質が開発された。また、子どもたちを長年苦しめてきたポリオに対するワクチンも1952年に開発され、同時期には全世界的に天然痘の根絶までもう少しというところまできていた。このような時代背景から、冒頭の発言はなされたのである。つまり、20世紀半ばには、歴史上はじめて人類が感染症をコントロールできるのではないかという期待があったのだ。

ところが、その後も、感染症はなくなるどころか、スチュワートの発言以降も次々と新たな感染症の流行が発生した。

1970年代にはアフリカでエボラ出血熱が流行し、以後も現在に至るまでアフリカを中心に流行を繰り返している。あるいは、1980年代には後天性免疫不全症候群（AIDS）が世界的に広がり、2003年には重症急性呼吸器症候群（SARS）が中国を中心に猛威を振るった。

ただ、幸運にも20世紀半ば以降の感染症の流行は、致死性が高すぎたり、感染経路が限定的であったりするなど、さまざまな理由から世界中の多くの人に感染が広まるといった状況にはならなかった。そのため、流行地域で暮らす人以外にはあまり関心をもたれず、多くの人々にとってパンデミック（感染症の世界的大流行）は過去の話だと思われていた。

しかし、そんな甘い認識を打ち砕く事態が起こる。新型コロナウイルスの世界的大流行だ。

歴史的に見れば、ひとつの感染症が永遠に流行し続けることはなく、どんな感染症でも数年で自然に終息していく。新型コロナウイルスの流行も、どのような形にせよ、いずれは終息するはずだ。

しかし、新型コロナウイルスが終息しても、いつ次の新たな感染症のパンデミックが起こるかは誰にもわからない。結局、人類がこれまでに完全に根絶できた感染症は天然痘だけなのだ。

そして、本書でここまで紹介してきたような地震や噴火、台風などの自然災害も人間が完璧にコントロールすることは、どんなに文明が進んでも、おそらく不可能である。むしろ異常気象による災害は、大規模化しているようにさえ見える。

人類はこれからも、さまざまな自然災害とともに生きていくしかないのだ。そして、それらの自然災害は毎回大きな犠牲を生みながら、人類の歴史を動かしていくのだろう。

●巻末資料〈天変地異年表〉

世界の天変地異

トバ火山の大噴火（7万5000年前）
ナイルの洪水（紀元前4000年頃）
ユーフラテス川の大洪水（紀元前2900年ごろ）
黄河の大洪水（紀元前1900年ごろ）
サントリーニ火山の噴火（紀元前1628年ごろ）
ヴェスヴィオ山の噴火（79年）
クラカタウ火山の大噴火（535年）
ヨーロッパで「黒死病」と呼ばれるペスト大流行（14世紀）

日本の天変地異

鬼界カルデラの大噴火（7300年前）
日本で天然痘が流行、以後、周期的に流行する（6世紀）
天平の疫病大流行（735年）
天平地震（745年）
富士山最大規模の噴火（864年）
元寇と神風（1281年）
鎌倉大地震（1293年）
享徳地震（1454年）
桜島大噴火（1471年－1476年）

コロンブスの新大陸上陸により、アメリカ大陸で天然痘が大流行（15世紀）
新大陸の天然痘（16世紀）
中国・華県地震（１５５６年）
ロンドンのペスト流行（１６６５年）
リスボン地震（１７５５年）
ラキ火山の噴火（１７８３年）
ジャガイモ疫病（１８４５年）
バラクラバ大暴風（１８５４年）
スペイン風邪の大流行（１９１８年）

南海トラフ（明応）地震（１４９８年）
慶長伏見地震（１５９６年）
慶長地震（１６０５年）
浅間山噴火（１７８３年）
シーボルト台風（１８２８年）
安政東南海地震（１８５４年）
安政江戸地震（１８５５年）
横浜地震（１８８０年）
スペイン風邪日本上陸（１９１８年）
関東大震災（１９２３年）
鳥取地震（１９４３年）
結核（明治時代〜１９４５年）

世界の天変地異	日本の天変地異
チリ地震（１９６０年）	伊勢湾台風（１９５９年）
ＡＩＤＳのＨＩＶウイルス発見（１９８３年）	釧路沖地震（１９９３年）
ＳＡＲＳの感染拡大（２００３年）	阪神淡路大震災（１９９５年）
新型インフルエンザ（Ａ／Ｈ１Ｎ１）の大流行（２００９年）	
エイヤフィヤトラヨークトルの噴火（２０１０年）	
ハイチ地震（２０１０年）	
ＭＥＲＳウイルス発見（２０１２年）	
新型コロナ（ＣＯＶＩＤ-19）の流行（２０１９年）はじまる	東日本大震災（２０１１年）